素手のふるまい

芸術で社会をひらく

鷲田清一

朝日文庫

本書は二〇一六年七月、小社より刊行された
『素手のふるまい　アートがさぐる〈未知の社会性〉』を改題したものです。

素手のふるまい　芸術で社会をひらく●目次

素手のふるまい　芸術で社会をひらく

1 「社会」の手前で

予感——アートに潜む〈社会的なもの〉

東京・丸ノ内、高層のビルが並び立つこの区域には、駅や専門店街、書店やコンビニエンス・ストアを除いて、ぶらっと入れる建物はほとんどない。大阪・中之島、ここには市役所、銀行、美術館、新聞社、テナントビルが居並ぶが、ここもまた、入館証や入構許可証や入場券なしにぶらりと入れる建物がほとんどない。繁華街、商店街は例外として、都市にはだれもが自由に入れる場所というのは存外少ない。入構に制限がかかる、つまりそこには認可や許可をあらかじめ得た人しか入れない。路上はどうかといえば、歩くのは自由だが、物を売る、料理をふるまうとなると、たとい仮設の屋台であっても許可が要る。働くこと、営業することにはつねに認可や免許といったものがついて回る。水道管を修繕するにも、政治的なデモンストレーションをするにも、事前に登録と認可が必要だ。

身分（＝同一性《アイデンテイテイ》）の証明をいつでもできること。生年月日、住所と連絡先を届け出、就労先、帰属先を明示していること……。これにたいして身分が特定できない存在、だれであるかが不明な存在は、「浮浪者」や「蒸発者」とよばれ、わたしたちの社会の欄外に置かれる。社会に登録されていない存在は、わたしたちの社会では許容されないものなのである。

では、社会に登録されていないとはどういうことなのか。それを問うた小説がある。安部公房の『箱男』(一九七三年)。段ボールの箱をかぶり、身分どころかその風体をすら明かさない人物が主人公である。この小説のモティーフについて安部自身が「小説を生む発想——『箱男』について」という講演のなかで、おおよそ次のように語っている。段ボールをかぶること、つまりだれでもなくなることによって、ひとは逆にだれにでもなりうるという物騒な自由を獲得するのだ、と。そして匿名性という、ふつうはネガティヴにとらえられるこの事態こそ、デモクラシーの成立要件となっているものなのだ、と。

安部の議論はおおよそ次のように展開する——

「箱男」になるということ、つまりみずから望んで社会への登録から外れるということは、市民あるいは家族の一員としてのあらゆる義務からの離脱を意味するが、同時にそれはあらゆる権利の喪失をも意味する。ここでひとは「充足した独房」か「欠乏した自由」かの選択に直面する。「充足した独房」では、ひとは画一化され、あらゆる未来はないだろう。一方、「欠乏した自由」においては、次の瞬間が予測できない。それは怖ろしく不安定なことではあるが、ひとはそこですくなくとも自由の糞詰まりからは解き放たれ、だれにでもなりうるという主体性を取り戻す。あらゆるひとが平等に同一の権利をもつデモクラシーという制度においては、ひとはこのいずれかの選択を迫られるというのである。となると問題は、だれにでもなりうるというこの主体性を手に入れるために、ひとがこの「欠乏した自由」にどこまで耐えられるかということになる。そして安部はいう。デモクラシーとは、突きつめれば、社会のメンバーが全員「箱男」になるということであり、だれもが匿名になるという権利とリスクを得ることで、あらゆる帰属（＝登録）を、そして本物か偽物かのスタンプを押す《国家》という装置を最終的に拒否する、そういう社会原理なのだ、と。

さてこの「箱男」になろうという人たち、あるいはすすんで「箱男」のポジションをとってきた人たちがいる。「画壇」「楽壇」といったエスタブリッシュメントへの登録からあえて外れ、「欠乏した自由」を犠牲にしないかぎりのところでアート「市場」には適度につきあいながら、その欄外、あるいは欄外近くに位置をとって活動してきたアーティストたちである。かれらは、特定の組織に所属せず、ということは組織の上部へと駆け上ることを望みもせず、そのことで財をなすこともめざさずに、社会生活の、そして芸術のジャンルなど存在しないかのごとく脱領域的にその活動を繰りひろげる。絨毯のように目の詰まった社会の編成あるいは社会の混沌のなかに、それまでになかった隙間を開いてみせる。だから既存のポジションにうまくはまっている人たちからは、何を生業《なりわい》にしているのか不明な人、つまりは「得体の知れない人」と映る。

〝アーティスト〟とは、その意味で、都市に住まうほとんど唯一の「無認可」の職業人といえるかもしれない。その活動は、無認可でかつ往々にして無報酬であるにもかかわらず、浮浪者や身元不明者、アウトローとは異なって固有名でメディアに採り上げられもするし、ときに公的な団体や市民グループから寄附や助成を受けもする。社会のマジョリティが共有しているような世界把握、世界感情に対しては、それぞれに固有な違和感を、ときに寝た子を起こすかのように、ときに人の心を逆なでするかのように、ときに市井の人たちの目にもとまらないほど微弱に表出していて、それがまた批評の対象となる、そういう〈違和〉や了解不能の表現によって一定の社会的なポジションが認められる存在である。

かれらは法律すれすれのゲリラ的な表現行為を持続的におこなうこともあれば、何をする人かよくはわからないけれど「手」としてやってきてくれる人として、被災地の救援や障害者の支援、地域のイヴェントや子どもたちのワークショップといった事業に匿名のままかかわることもある。また、それらの活動にはさまざまな水準がありえて、さまざまな社会活動や施設のささやかなカンフル剤や柔軟剤、さらには「心温まる」装飾品にすぎなくてよしとするものもあれば、世界を転覆するとまでは言わないにしても、わたしたちがいま知っているお行儀のよい議会政治の蓋を開け、祭と祀《まつり》と政《まつりごと》とが不可分であったような「まつりごと」の次元へと測鉛を下ろし、社会秩序のフォーマットを根底から書き換えようという野心に突き動かされていると見えるものもある。このように活動はきわめて多様であるのだが、既成のものさしや価値観にはすっとなじまないような感受性をもち、その場の初期設定を自明のものと受けとめないで、わたしたちの暮らしの場に、これまで見たこともないような光景を、モノを出現させる、あるいはそこにこれまでだれも想像もしていなかったコンテクストを挿し込む、そのようなずらしないしは〈違和〉の表出という一点において通じるところがあると、とりあえずは粗っぽく言っておいていいだろう。

　この〈違和〉の感触はしかし、人によってこれまた多様なものである。したがってその表出もきわめて個人的なかたちをとる、はずだった。すくなくともこれまではそのようにおもわれてきた。けれども、これら社会的なイヴェントを立ち上げる、あるいはそれに参加する昨今のアーティストたちを見ているかぎり、個人のアーティスティックな「才」を発揚すること、そしてそのためにみなが結集することをめざしているようには見えない。というよりもむしろ、イヴェントごとにアーティストとノン・アーティストの境界すら取っ払った弛《ゆる》いグループを構成し、まるでセッションのように離合集散をくり返しているように見える。いいかえると、討議にもとづいた合意や結束を起点とするのではないようなグループ活動を繰りひろげているように見える。ここに立ち上がりつつある《社会性》とはいったい何なのか。アートにはなぜ、とりたててアートに関心があるわけではない人びとまで巻き込んでそこになにかある出来事を出来《しゅったい》させる力があるのか。そこにどのような可能性が潜んでいるのか。わたしがここで考えてみたいのはそういうことがらである。

「社会」と「普通」――アートからいちばん遠いところにあった二つの言葉

　独特の感性や感受性に恵まれ、その表出を凡庸な普通人のそれからかけ離れた仕方でおこなうことのできる人、それがこれまでのアーティストのイメージだった。「社会」の問題に関心をもつこと、コミットすること、感覚において「普通」であることほど、アーティストらしくないものはない。つまり「社会」と「普通」は、アートの世界からはいちばん遠いところにある二つの言葉だった。ところが、これらの言葉がいつの頃からか、アーティストのセルフ・プレゼンテーションのなかに散見されるようになった。わたしの貧しい記憶をたどって言うのだが、表現論においてこの二つの言葉をはじめて前面に押しだしたのは、一九九〇年代の川俣正だったのではないかとおもう。

たとえば、『アートレス――マイノリティとしての現代美術』（フィルムアート社、二〇〇一年、二〇〇六年増補改訂版）のなかに、彼はこう書きつけていた――

アートが社会的に何の役にも立たないことにおいてのみ、社会に役立つという逆説的な意味合いから、それを引き受けつつ、もう少し実践的な場でその存在のリアリティを確かめる方向にきているのではないかと思う。（『アートレス』）

きわめて日常的に、そしてそれが普通のことを普通に行っていながら、すごく普通ではないこと。意図されたドラマティックさより、限りなく普通なことの中に潜むもの（アートレス）をとらえる。（同前）

「社会」「普通」という二つの語がたまたま見開きページの右と左に揃い踏みしていたから引いたのだが、他の箇所での記述をもって補完しつつ右の引用文を敷衍《ふえん》するなら、川俣は、この本のはじめのところで、「現在、巷に溢れ返っている「アート（?）」を時代の気分とか心情的、感覚的に語ることからわずかばかり距離を持ち、社会的な枠組みや日常性の中から今日的な存在価値を見出そうと思う」と述べ、あえて《アートレス》というコンセプトを提示する。これは、「「感覚」とか「感性」、「才能」などといった言葉で括られるところの聖域を、特別扱いして崇め奉る」ような「無自覚な文化教養主義の飾りとしてしかアートが存在しない」、そんな《アートフル》な世界への懐疑の表明であった。「綺麗なもの」、「美しいもの」はもういい、それよりも「つねにその場で起こる実際の物事を通してでしか答えられない事柄の中に、アートの、あるいはそうでないものの新たな関係を組み立てること」。ムードやイメージで同時代を語り、表現するのではなく、アートからうんと距離のある《普通》の場所で、「この時にこの場でしかできない」ことに取り組むこと。他の人たちが抱え込んでいるのとおなじ問題に、おなじ場所から、しかし別のまなざしを挿し込んで、そこから別の「リアル」を立ち上がらせること。川俣はこれを「サイト・スペシフィック」な行為と名づける。ある地域で、文化人類学のフィールドワークのようなリサーチをくり返したあと、そこに暮らす人びとが見ていなかった何か、考えていなかった何かを、「部外者である私」がそこにいくばくかなりとも具現させようというこの活動は、そこにあるその社会が抱えているいくつかの問題に、これまでとは違ったかたちでアプローチしてゆこうという地元の人たちの意向と合流し、結果としてそこに新しい場《サイト》を出現させる。「「サイト」に限りなくこだわる」ことによって逆に「「ノンサイト」に広がる」ことをめざす……。

この高らかな宣言には、二つの逆説が含まれていた。「アートが社会的に何の役にも立たないことにおいてのみ、社会に役立つ」という逆説であり、「「サイト」に限りなくこだわる」ことによって結果として「「ノンサイト」に広がる」という逆説である。後者は、「普通」のことをかぎりなく普通におこなうことによって「普通」でないことを摑む、といいかえることもできる。

「社会」と「普通」。この二つの言葉に、わたしは十年後、別の作家の言葉として再会することになる。Chim↑Pomというアーティスト集団の書き物のなかでである。十年後というのは東北の地がすさまじい地震と大津波に襲われた年である。

Chim↑Pomは、東日本大震災の直後に被災地に入り、震災のちょうど一ヵ月後、四月一一日に、監視の目を潜って福島第一原発敷地内の展望台に「登頂」し、白旗に赤のスプレーで描いた日の丸を放射線マークに変えて掲揚した。また同月末には、渋谷駅に展示された岡本太郎の壁画「明日の神話」の右下に、事故後の福島第一原発の絵を描いた紙を貼った塩ビ板を設置し、警察の捜査を受けてもいる。そして翌五月には、放射線被害の怖れがあり支援ヴォランティアが入りにくかった福島県相馬市で、被災者でありながら救援や復興作業にあたっていた地元の若者たちと気合いを入れあうヴィデオ作品《気合い100連発》を制作している（これら一連の活動の記録については、竹久侑企画『3・11とアーティスト―進行形の記録』〔水戸芸術館現代美術センター展覧会資料第98号、二〇一二年一一月〕に拠る）。そういうかれらが「すぐに動けたのは……より速く社会に反応する筋肉がついていたからだと思います。社会への反射神経が良くなっていた、とも言えますが、メンタル面で言うと『覚悟ができていた』という感じです」と言っている。
「より速く社会に反応する筋肉がついていた」、「社会への反射神経が良くなっていた」とは、なんとも豪壮な発言だが、その背景には、「僕らは身体を張って行動の中で作品を創ってきました。見えにくい現実を過剰にあぶり出すことで、ときには大やけども負いながら、激しい実感を伴いながら」という自負がある。これについては、かれら自身がそれまでのワークの一つ一つをふり返りながら、次のように総括している。そしてその総括もまた、「社会」という言葉から始まっている。

僕らが社会の現実を捉えることができたのは、身体以前に想像力を駆使したからです。《明日の神話》に欠けた空白のピース、ネズミによって街に作られるもうひとつの世界、セレブの延長線上に暮らす地雷被害者、忘れてきた平和、被曝《ひばく》の歴史や放射能……それらはまったくの現実ですが、まるで幽霊のような暗部として僕らの生活を支えていました。見ることができない、見ることをしなかったもの。しかしそれらはすべて想像することで見える世界の現実です。「リアル」は想像によって知り得て、さらに身体で体現することで「リアリティ」として実感できるものばかりでした。

(『芸術実行犯』朝日出版社、二〇一二年)

この書物のなかでもう一点、わたしが気を惹かれたのは、Chim↑Pom の前身がなんと「ふつう研究所」というグループ活動だったということである。

「ふつう」は僕らの中では意外と深いテーマでした。一般に「普通」と言えば「飛び抜けているところがない」といったネガティブなものですが、僕らの「ふつう」はそれよりも、奇抜さや目新しさや個性がもてはやされる世界（特にアートにはその風潮がありました）において、人類の「王道」を行く何か本質的なコンセプトだったように思います。（同前）

「社会」と「普通」という語の変奏を目の当たりにしたとほぼ同時に、だがしかし、わたしは「社会」について語るアーティストのもう一つ別の声にもふれていた。それは、アートが対峙する〈社会〉ではなくて、〈社会〉からある意味遠く隔たった場所で、〈わたし〉という問題、いいかえると〈わたし〉の「普通」を問いもとめるなかで、ふと出会うことになった〈社会〉についての語りである。

《この美しい松林と海は、幻想やファンタジーではなく「社会」だったのです》

愛知県で育ち、十九歳のときに単身、ロンドンに渡り、大学を卒業し、帰国してからしばらくして宮城県の海岸近くの村に移り住み、二〇一一年三月一一日の大震災で家も工房も流され、そのあと村民たちとともに避難所・仮設住宅で暮らしながら、かつて工房のあった、松林に囲われた直径五メートルほどの空き地で撮った写真群を、せんだいメディアテークで展示したひとりの女性がいる。名前は、志賀理江子。彼女はその制作と並行して、震災三カ月後の二〇一一年六月から翌年三月まで、同館の主宰する「考えるテーブル」で十回にわたり「連続レクチャー」をおこなっている。震災後、ふたたび写真を撮りはじめながら、人前で、そう、むきだしで、じぶんが何かを撮ることのその意味について語りつづけた。その記録が、展覧会《螺旋海岸》の開催にあわせ、『螺旋海岸｜notebook』（赤々舎、二〇一二年）として刊行された。その末尾に見つけたのが、右の文章である。「社会」という語がこのような文脈で立ち上がってくることに、わたしはとまどいをおぼえた。というより畏れに近い感情に襲われた。〈社会〉というものへの思いがけない視角をここに見つけたのである。彼女はこう語っていた――

この震災が自分になにをもたらしたか、北釜での経験によって私は世界の情勢や環境が、実際にどんな危機にあるのか実感をもって想像できるようになったと思います。

いま現在、私たちの住む社会が物質的に豊かな反面、ある限界にきているとも感じます。その片鱗を感じるたびに、私は絶望的というより、とても静かな気持ちになるのです。そういうことを想像し、内なるなにかを鎮めてる。そうしたら私の欲望のようなものも、霧のように消えていくんだって少なからず思う。たくさんの人が助けてくれた事実にすがりながら、ものが流されてなくなったことよりも、それ以前の、ものが増えつづけていく生活のほうが恐ろしかったと、食べるものに困らない、命の危険も感じない、ある意味では豊かな環境で育った私は錯覚するんです。

そして、北釜の人が遠くから私を見つけては手を振ってくれて話しかけてくれること、「なにやってんの〜。今度なにつくるの〜」って目を見つめてにっこり笑ってくれること。なによりもまずここにいさせてくれること。失敗しても許してくれること。その途方もない優しさみたいなものを彼らから受けるたびに、そのことがあまりにも尊すぎて体が破裂しそうになります。いろいろなところからたくさんの救いの手が私たちの生活に差し伸べられたことによって、この世にはその手が差し伸べられない領域がたくさんあることを実感します。どこかの国で助けられもせず死ぬ人がたくさんいるということ。そしてそれはどうしようもなくそういうこととしてあること。生きていることはあまりに強い。

だから、これらのことがどのように「芸術」とつながりをもつかなどは全然わかりません。

ただ私がこれまで作品の発表などを通じてお金を得て、この社会のなかで生きてきたことも確かです．それに対して絶望することなく、また静かな気持ちに収まることなく、いま「目の前にある現実」とつながるパイプを見つけなければと思うし、これまでの制作を遥か遠くのイリュージョンにしたくないと思う。芸術に社会性があるのではなく、芸術が根を張る場所が社会だからです。そのベースとなる社会とどう結ばれているかが「作品」にとって重要なのだと思います。「社会」とはたったひとりの人という意味でもあると思う。でもこのことはいますぐにわかる話ではないのです。

（同前）

彼女が語りつづけるなかでの〈社会〉の不意の出現。なぜ松林と海が〈社会〉なのか。「たったひとり」がなぜ〈社会〉なのか。いまのわたしには不可解である。志賀の言葉はそんなとまどいをわたしに残す。けれどもこれらの断言には、ある根拠が、志賀がいまそれを見透かしているのかどうかは別として、あるような気がする。この予感にもうすこし具体的なかたちを与えてゆく作業を、わたしはここでおこないたいとおもう。

松林と海が〈社会〉であること、「たったひとり」も〈社会〉であること。「サイト・スペシフィック」ということをこのあたりまで拡げて、アートが〈社会〉に触れる、あるいは〈社会〉を見つけることが、アートにとって、そしてわたしたちの社会にとって、どのような意味をもつのか、どのような出来事、どのような亀裂をアートと社会の双方に否応なく招きよせるのかを考えてみたいとおもう。その際に、ここで引かせてもらった川俣正の、Chim↑Pomの、そして志賀理江子の語りに戻ることになるだろうし、それらはまた通奏低音のように鳴りつづけもするだろう。

東日本大震災とアーティスト

「アートが社会的に何の役にも立たないことにおいてのみ、社会に役立つ」。川俣がこのように語っていたアートの逆説的なふるまいの内実が、抜き差しならないかたちでアーティストたち自身によって問われたのが、このたびの東日本大震災であった。新潟中越地震後の、住民とアーティストたちとの継続的な協働活動を見ていたこと、さらには阪神淡路大震災後の、ヴォランティアやNPOの経験のこの社会における蓄積というのもあったのだろうが、このたびのアーティストたちの動きは眼を見はるほどに速かった。

わたしの周囲を見わたしただけでも、たとえば、ニュースで避難所の様子を見、発泡スチロールの容器で食事しておられるのが「あんまり気の毒や」と言い、すぐに数百個の器を焼いて持って行った陶芸家がいた。被災地に身を置いてまずは流されたアルバムの洗浄と繕いにとりかかった写真家もいた。そのほかにも、かつて「踊りに行くぜ!!」

を合い言葉に各地で結集と離散をくり返していた男性コンテンポラリー・ダンサーたちが、こんどは（盆踊りを）「習いに行くぜ!!」と三陸沿岸の漁村に乗り込んだと、友人から聞いた。仮設住宅の設計に知恵を絞る建築家もいたし、被災者に怒鳴られ「すみません。すみません」と声を絞りだしつつ撮りつづけた映像作家もいた。そして、炊き出し、修繕・撤去、聴き取り、映像の記録・保存などの手伝いに駆けつけた美大生たちも。だが、他方には、カメラをもつと「フレームを考えてしまう」と、被災地で撮ることを封じた写真家がいた。「支援」や「絆」の合唱には加わりたくないと沈黙を貫いた美術家もいた。あえて動かないことを選んだこの友人にしても、動かないことを選んだじぶんへの詰問に、ひょっとしたら被災地に駆けつけた人以上にじりじり胸を焦がしていたように、わたしには見えた。川俣のあの問いかけは、ここでもアーティストたちの胸の内を掻きむしっていた。

震災後の被災地において、音楽が、創られたオブジェが、人びとに「共感」のメッセージを送る、あるいは人びとをじかに励ますということはたしかにあったろう。しかし、それらが右の川俣の言葉の後半だけをなぞった行為にとどまるものであったとしたら、わたしにはアートの意味がすごく薄っぺらにしか摑めないようにおもう。アートが「社会」とどのようにかかわるかを考えるとき、この文章の前半に記された「アートが社会的に何の役にも立たないことにおいてのみ」という逆説的な条件を考え抜くことが重要だとおもう。

先の、被災地に駆けつけたアーティストたちにしても、かれらはアーティストとしてそこに駆けつけたのか。アーティストであることをいったん棚上げにして救援活動に取り組んだのか。はたまたアーティストという枠など問題ではなかったのか。あるいは逆に、アーティストであることの意味をかつてなかったくらい深く問いつめることをみずからに課したのか……。おそらくは、そのいずれでもあっただろう。そういう混乱のなかにあえて進んでじぶんを投げ入れたのだろう。そのとき、アートの意味を問うというよりも、生き存《なが》らえるということの、苛酷でだだっぴろい人類史的ともいえる地平にどんと放り出され、アートにその場所がないこともありうるという感覚に、ぎりぎりと切り揉まれたのではないかと想像される。アートかアートでないかという問いを脇に押しやって、貞観《じょうがん》一一年（八六九）の陸奥《むつ》での激震よりもはるか遠い神代の時代、さらには有史以前にまで遡って、じぶんたちがやってきたことを位置づけなおす作業を迫られていると感じた部分もあったにちがいない。洞窟の奥深くに秘匿された絵、祭事のカタルシス、巫女《みこ》のお告げ、社《やしろ》での祈りと礼拝、鎮め、占い。そのような異界との交通という行為がなぜ装飾や音楽をともなったのか……。そんな問いに連れ戻されるほど足下がぐらついたというのは、たんにわたしの空想にすぎないとは言い切れないとおもう。

じっさい、川俣のあの問いかけを正面から受けるかのように、写真家・畠山直哉は、故郷、陸前高田の震災後の状況を撮りつづけるなかで、次のようにつぶやいていた――

僕たちは震災以降、あまり意識しないままに、アートを「医薬品」のように取り扱いがちだったような気がする。被災者の傷ついた心を癒すために、人々を元気づけるために、誰かれ問わずすべての人に一律の効能を示してくれとばかりに、アートにずいぶんな期待を込めていたような気がする。ある場合は、その効能に即効性を与えるために、また、その効能の及ぶ人間の数を最大化するためにと、自らのアートをあえてナイーブなものにモディファイするといった、普段とは異なった行動をとっている人間もいたように思う。その結果かどうか知らないが、世の中になんだかわかりやすいお話ばかりが蔓延してしまって、かえっていま、自分たちがその状況によって、引き裂かれたりしているのではないかと、心配に思うこともある。

（前掲『3・11とアーティスト――進行形の記録』）

その畠山もそこから、まぎれもなく「術」の一つであるアートは「独立した状態で誰かに見せるものではなく、「術」として使われるべきものではないか」という問いを立て、しかもアートは「人を治したり社会を良くするためにあったのだ」という意見を斥《しりぞ》けつつ、さらにしかも「世間に対してつねに「患う人」である僕が、そのような「アート」によって、結果的に治り続けているということかもしれないのだ（社会が良くなり続けているかどうかに関しては、保留）」としたうえで、「「人を治しているつもりのないアートが人を治している」としたらどうだろう？」と、川俣のあの逆説を引き継いで問題にしている。

予震――湊町アンダーグラウンドプロジェクト（2003）という出来事

アートは「社会的に何の役にも立たないことにおいてのみ、社会に役立つ」という逆説、さらには畠山のいう「人を治しているつもりのないアートが人を治している」という逆説の意味を、アーティストでもないわたしが〈社会的なもの〉への問いというかたちで問うてみたいとおもったのは、じつはある出来事をきっかけにしてである。その思いは、いまから十年以上前にわたしも一スタッフとしてかかわったあるアート・プロジェクトのなかで、ふと湧き起こった。それはこれまで「社会」と「普通」という二つの言葉をめぐるアーティストたちの一つの偶然の呼応として記したものとは逆の、というかそのちょうど裏面で起こっていたある出来事のなかで、である。アーティストたちの活動ではなく、アーティストのよくわからない活動に、とりたててアートに関心があるわけでもなしに、頼まれたから、あるいは「なんかおもしろそう」と集まってきた人たちの行動を脇で見ていて、である。わたしにはなにかそこに、未知の社会性とでもいうべきものが生まれつつある、そんな光景に立ち会った思いがした。

いまは再開発がおおよそ完了したが、かつて大阪・JR難波駅のすぐそばに、知ればだれもが度肝を抜かれるような巨大な地下空間があった。湊町《みなとまち》地区の開発計画のなかで地下のショッピング・アーケイドとして構想されながら、バブルの崩壊とともに未完のまま封印された、奥行きがおよそ一九〇メートル、天上の高さは五メートルほど、総面積が三〇〇〇平米はあろうかという、細長いがらんどうの空間である。どんよりと湿った空気のなかに時折、下を走る列車の轟音が響く。端には巨《おお》きな下水道の管がむきだしのまま設置され、空調もないのですこし蒸れて、水たまりの横にはうっすら、色を失った黴《かび》のような埃がたまっている。片付けるのも面倒だったのだろう、ビニール・ホースも何本か、くたびれた蛇のように放置されていた。

世紀を跨いでしばらくした頃、大阪に拠点を置くアート・プロデューサーの橋本敏子（文化農場主宰）が、「広場の整備にアート・ワークを入れて」と開発者側から依頼されたのを機に、それまでないことにされていたこの地下空間を見つけた。合い言葉としては「なんかワクワクするものを」くらいのものしかもたなかったが、とりあえずはプロデューサーの木ノ下智恵子と関西在住の若手アーティストたちが、宝塚にある建築家・宮本佳明の事務所に集まっておしゃべりを続け、そして幾度かこの地下をにわか仕立ての照明用具をたよりに探索したあと、見棄てられて逆に「すっぴんの美しさ」を漂わせるこの空間で、〈光〉のアート・イヴェントをやろうと決めた。そのアーティストたちというのは、まさに光線を駆使するインスタレーション作家・髙橋匡太、映像クリエイターの久保田テツ、それにremo（NPO法人・記録と表現とメディアのための組織）の甲斐賢治らを中心に結成された映像ユニットseesawである。

会期二週間（二〇〇三年九月二〇日から一〇月五日まで）という束の間のイヴェントは、ほぼ一年にわたるすさまじい人数の協同作業から生まれた。管理者の同意のとりつけ、消防法をはじめとする厳しい法律をクリアするための役所との交渉、次々と生じる使用上の制限と度重なるコンセプトの練りなおし、蛍光灯を撤去予定のビルからもらってくる作業、取り付け、消火栓の設置、そして広報、経理、スケジュール調整、事務連絡……。ここに延べ数千人というヴォランティアが合流した。もちろん全員が手弁当である。なかには一カ月休職する人もいた。「なんかワクワクするもの」、このコンセプトだけでうごめきだした、たがいに見ず知らずの人たちの大きなうねりを、言いだしっぺの一人でもあったわたしは、傍から唖然と見守るばかりであった。

この過程で、わたしがはっとさせられたいくらかの経験について書きとめておくと、まず、この地下空間は、所有権のはっきりしない空間、建築途上のまま放置された空間、だから定義もできないし、だからだれも責任をとってこなかったし、ということは絶対だれにも使わせないという暗黙の了解が関係者のあいだにしっかりとある空間だった。

それを使用するには、ということはそういうないことになっている空間であることを暴露することだから、まず管理者の同意を得ることから始めなければならない。この交渉は橋本とその知人の弁護士があたった。同意が得られたあと（のちにJR難波駅の駅長は熱心な推進者に変貌する）、こんどは建築基準法や消防法をクリアするための対策が必要になった。ちなみに、一時の入場者を三十人に限定したのは、三十人を超えるとスプリンクラーの設置が義務づけられるかららしい。

それと並行して作品の制作がなされた。やったことのないことを試みるのだから、やってゆくなかで問題はだんだん増えてゆくばかり。法律的な問題をクリアしようとすると、この空間でできることにも枠がはまる。空間整備の進行とともに全体のプロジェクトも作品のプランもどんどん変化していった。アーティストのコーディネーションを担当した木ノ下は、驚きと嫌気の毎日だったと言う。あっさりというか居直ってというか、「髙橋さんみたいな人が三人いたら、わたしはやっていられませんから」、と。〈光〉のアートだから電気関係者の人たちの協力を欠くことはできなかった。まちの電器屋さんは、こんなやり方で仕事をしたことはこれまでないと言いながらも、アーティストのプランにインフラの設備側が制限を与えてしまうとおもしろくないと思ったらしい。「やるしかない」と何でも買って出た。消防検査に通ったときの快感といったらなかった、とのちに聞いた。検証のヴィデオのなかには、電気が通じたとき、蛍光灯を両手でかざして、おどけて踊る職人さんが映っていた。

アーティストたち、職人さんたち、そして若いヴォランティアたちの日程調整をするスタッフたちは、スケジュールを組み予算を立てて、そしてそっくり覆されて訂正し、また組みなおすといった過程を延々とくり返した。メールも何万通か飛び交ったはずだ。途中から「この人、だれ？」という状況になったし、地上からは「何やってんのー？」という若者たちの声がし、さらにその人たちの一部も合流してきた。いまからおもうと、「離れていても気になってしかたがなかった」と言う。

唱歌「めだかの学校」のなかの「だーれが生徒か先生か」というフレーズ、それをわたしはこのプロジェクトの渦中で何度も思い浮かべていた。ヴォランティアを募集する、メーリングリストを作る、制作を手伝う、不要になった蛍光灯を関西全域から集める、弁護士や市の交通局、消防署、さらにはJR難波駅と交渉する、広報の段取りをする、経理事務を担う、弁当の用意をする、全員の日程調整をする……というふうに、だれが制作部門でだれが支援部門かわからないような無数の人たちの協同作業である。そう、だれが創る人でだれが支える人、だれが鑑賞する人なのかさだかではないような協同作業、ホワイトキューブの壁や床に展示された「作品」を遠慮ぎみに「鑑賞」するだけのアートの現場にあきたらなくなったアーティストとヴォランティアの協同作業であった。

そしてようやっと先が見えてきて、広報も打ち、開場の日を迎えた。安っぽいアルミサッシのドアが地上の入り口であった。そこから階段を降りると、まず久保田テツの作品が正面に見えてくる。V・L・バートンの絵本『ちいさいおうち』をベースに、牧歌的な里の風景が、都市の誕生と生成を経て、死にいたるというプロセスを、はじめはほのぼのと、最後は不気味にアニメ化した映像作品である。

地下に入る。間口の広さは、入り口近くはおよそ三〇メートル、突き当たりは九メートル、遠近法を圧縮したようなこの空間は、だから、入り口に立つと奥はずーっと向こうに隔たって見え、逆に奥に立つと入り口がすぐそこに見えるという不思議な効果を見せる。その右壁を、宮本、甲斐らによる「動く壁紙」がおぼろに照らす。むきだしのコンクリート壁の上に重ねられる竹や土や抽象模様の画像、雲を引き裂く稲光の映像。まるで地上の建造物の秘密をあばくかのように。壁の一方には小型の液晶モニターがあって、そこにはさきほどの久保田の作品の家から外を眺めた映像も流れていた。

奥で突然、ぷちっという音とともに、光の固まりが炸裂した。蛍光灯を一二三二本、絨毯のように敷きつめた髙橋匡太の作品だ。この巨大空間をコンビニの照明とおなじ明るさにするときに必要な本数として計算したものを、一カ所に集めたのだ。買ったものは一つもなく、すべて解体現場などから持ち込んだ。それが一層地下を走るJR大和路線の列車の通過音とともに、点灯・消灯をくり返す。近寄るとすごい熱が頰に当たる。床から噴き上げる光のマグマに、ひとはまるで都市の日常が孕む暴力そのものを突きつけられたかに感じたはずである。

　そして短い会期のあと、これら三つの作品は撤去され、空間自体もふたたび封印された。

未知の社会性？

　その打ち上げの会で耳にした二つの言葉が、いまも脳裡にはっきりと映っている。

　一つは、集めた蛍光灯一二三二本で光の絨毯を織りなした髙橋匡太の言葉。参加アーティストのなかで髙橋だけが現場での制作に取り組んだのだったが、そして度重なる計画変更に「髙橋さんみたいな人が三人いたら、わたしはやっていられませんから」と木ノ下智恵子をして言わしめたのだが、制作の中心にいたその髙橋のほうは、制作を終えてわたしにこう、誇らしげに語ったのだった。――「じぶんはここでは作家ではなく、一人のスタッフでした」、と。

　いま一つは、ヴォランティアとして参加した二十歳ほどの女性の言葉。――「正しいと思うことって一人ひとり違うんですね」。

「それ、はじめて知ったの？」とおもわず返しそうになったが、その控えめの、しかし思い定めたようなまなざしに言葉を呑み込んだ。ふつう考えればあたりまえのことを、彼女はこの果てしない作業のなかで「発見」した、身をもって学んだのだった。ひょっとすればこれは、日々の惣菜を買うときのふるまいにも似ていたのかもしれない。いまは手元に文献がないのでうろおぼえで、教育心理学者・茂呂雄二の言葉を引かせてもらうと、買い物には臨機応変、柔軟な知恵が必要だ。おおざっぱな計算で済むこともあれば、ときに計算をやめたほうがいい場合もある。「今日は歩いてきたので大きな荷物はもてない」「三パック入りのほうが安いけれど、いま収納庫が一杯だから」といった融通の利く判断、さらには値切りといった交渉も、買い物ではあたりまえのことだ。ここに求められるのは、「頭のよさ」ではなくて「賢さ」だ。そしてそれが、全体へのおおよその目配り、(密室ではなく)他の人たちとのやりとりのなかで、言ってみれば器用仕事《ブリコラージュ》のかたちで進められる。こう考えると、「教室での学びのほうこそ特殊な学びに過ぎない」ということにもなりそうだ。「正しいと思うことって一人ひとり違うんですね」とつぶやいた女性は、これまでそういう知恵の使い方を「ライブ感覚」で体験したことがなかったのかもしれない。「世間知らず」? それでいいではないか、いやそれはすごいことではないか、「世間」を知ったのだから、と感じ入ったのだった。

ホワイトキューブの壁や床に展示された「作品」を遠慮ぎみに「鑑賞」するだけのアートの現場にあきたらなくなっていたアーティストと、なんとなく釈然とせずに塞いだままの日常を送っていた十代、二十代の人たちとが、何をつくるのかもさだかでないまま、「なんかワクワクするもの」という合い言葉だけで、延々と「協働」する。それぞれがそれぞれにイメージを膨らませ、それらの異なるイメージをたがいに調整しながら、最後はこれ以外にはないという一つのところへもってゆく……。そうした活動がここにはあった。

アーティストのかかわり方がこれまで見なれてきたものとはどうも違う。ヴォランティアの人たちも別にアートに強い関心があるわけでもなく、なんかおもしろそう、ひょっとしたらわたしにもできることがあるかも、といった気分で集まっていたように見えた。ヴォランティアはなぜか女性が圧倒的に多かったが、湊町のこのプロジェクトでは、「アート」は生きることとは別の、なにか非日常の行為なのではなかった。

ここでいったい何が起こっていたのか？

アートはあらかじめ正確な青写真があって、それに沿って作品をつくるというやり方をしない。アーティスト自身にも、じぶんがやろうとしていること、つくろうとしているものが、あらかじめ見えているわけではない。これは、あらかじめ未来に明確な目標や意義を設定したうえでそのために何かをするという、そういういまの社会であたりまえの事の進め方とは違う活動の仕方である。だからこそ、アートはあらかじめ「認可」しようがないのだ。

ここには多くの人びとを一つの目標へと糾合する「べし」というものがなかった。いいかえると、だれかが一枚の正確な青写真を描いて、それを軸に全員が結集するというやり方をとらなかった。それよりは各自が各自の感受性に素直でいようとしていた。なのに、集まった人たちのゆるやかなイメージの交換と調整のなかで、つまり最後までたがいの差異を解消しないまま、それでも最後はこれ以外にはないという一つのところへもってゆけた。これは、同一のイメージを共有するというかたちでみなが結集することの対極にあるいとなみである。集団を、内部に向けて集結させるのではなく、未知のものへと開いてゆくこと。たがいに差異を深く内蔵したまま、ゆるやかではあるがけっして脆くはない紐帯《ちゅうたい》をかたちづくること。そういう〈未知の社会性〉の芽ばえに、〈自由〉の新しいかたちの生成に、彼らは賭けていたのではないか。

十年以上前のこのプロジェクトでは、一つの作品をつくるためにまずそれを可能にする場がつくられねばならなかった。その「つくる」前の「つくる」過程に、ふだん接触することのないさまざまな人びとと交差しながら関与していくこと。そのなかでじぶん自身の生のコンテクストをずらしたり、編みなおしたり、別のそれとつないだり、といった出来事を起こすこと。いってみれば、異なる人間が不定のイメージを不定なままに共有しながら、そこから各自が想像もしていなかったものが生まれてくるという愉しみがそこにはあった。何の意味があるのかよくわからない小さな行為の連なりのなかで、物たちとの関係が変わる、たがいの関係が変わる、そのような愉しみといいかえてもよい。ヴォランティアとして集まってきた人たちのみならず、高橋の言葉にあったようにアーティストたちもまた、そういう感覚でこのプロジェクトにかかわったのではないかとおもうのだ。

わたしは空想する。このプロジェクト、ヴォランティアとしてかかわった人びとは、ひょっとしたらそれぞれにじぶんの人生への苦い思いを引きずりつつ参加していたのかもしれない。夢をいくつも描き、やがて一つ、また一つと、傘のようにそれを折りたたみ、それでも代わりの小さな夢にいたずらにじぶんを託すということをくり返してきたのが「わたし」たちだったとすれば、「わたし」たちの人生には夢の跡がいっぱい隠されている。いや、この夢の消失そのものとの取っ組みあい、その痕跡が、いまのこの「わたし」をかたちづくっているとすらいえるだろう。見棄てられたあの地下空間を前にしたとき、すくなからぬ人たちがそんな思いにとらわれたのかもしれない。作業のなかで、その見棄てられた夢の一つひとつを覚醒させていたのかもしれない。おもえば、仕事の場でも学校でも家事においても「やってあたりまえ」とされることで満ちている。思いを込めたふるまいが「やってあたりまえ」とされることほど挫《くじ》けるものはない。このプロジェクトに参加した人たちはきっと「やってあたりまえ」ではない経験がここではできるという予感に震えたのかもしれない。そしてそれが結果として、さまざまな発見につながることになった。見ず知らずの人たちのあいだでもみくちゃになりながら、じぶんたちでつくる、じぶんたちのことはじぶんたちで決める、そんな練習をそうとは気づかずにしていたのだ。

劇団維新派の松本雄吉も、劇団員にそんな練習の場を開いてきたひとりかもしれない。維新派の役者たちは、業者に舞台装置をまかせ、自身はテレビなどでアルバイトをして稼ぐ（名を売る？）ことよりも、合宿してじぶんたちで舞台装置から食事からみずから手分けして作ることを選んでいる。そして公演後はおなじように手分けして装置を壊し、片づける。仲間のやり口を横で知り、またそれにおのれのそれを絡ませながら、「壊しては築き上げる」そんな人生の、そして社会の基本にある活動を、まさにその劇団活動のなかで身をもって反芻している。彼らはきっと、「やってあたりまえ」とされることでいわば飽和状態になっているこの社会の〈外〉へと出てゆく可能性をその隙間に探っているように見える。だからだろう、そんな我流の活動に延々と取り組んできたこの集団には、どこかフリースクールのような空気が漂う。

アーティストたちが、とりたててアートに関心があるわけではない人たちを巻き込みながら「素手」でたぐりよせようとしている〈未知の社会性〉。以下では、ときにあまりに地味で実直、ときには途方もないことをしでかすそうした活動のいくつかに、この〈未知の社会性〉を探ってゆきたいとおもう。

2　巻き込み　小森はるか／瀬尾夏美の模索

アート未満？

「アーティスト」の名で活動している人たちの全貌がわたしには杳《よう》として掴めない。芸術学の研究者でもなければ現代アートの評論家でもない。だから、アート・シーンを定点観測したこともないし、ギャラリーやコンサート会場などにまめに足を運ぶということもしてこなかった。けれどもその外で、「アート」のようなもの、ないしはそうした活動に接する機会だけは増えた。もちろん「アート」という領域じたいが《液状化》しているという状況が背景にあるのだろうが、これとは別に、たとえばこの国ではアートの市場というのがまだまだ成熟していないので、そのマーケットから「芸術家の卵」たちが溢れだしているといった要因もあるのだろう。逆にちょっとシニカルな見方をすれば、「アート」を掲げたほうが社会に出やすいということもあるのかもしれない。じっさい、「アート」という語は拡散し、いまやポップスのミュージシャンもためらいなく「アーティスト」を名のる。美大や芸大を卒業してもそれを活かせる就職口というのがなかなかない一方で、「アーティスト」という言葉だけは確実にインフレーションを起こしている。

この杳として摑めない状況を摑むには、「アーティスト」という言葉への妙な肩入れと、それがじっさいに使われる場面での違和感とを、ともにあらかじめ封じ込めておいたほうがいいだろう。わたしには、作家がみずからを「芸術家」や「アーティスト」と言ったとたんにそれでなくなる、との思いが強い。たとえば絵はだれでも描ける、映像はだれでも撮れる、それを、画家もしくは映像作家としての仕事とすることに、疑念というか疚《やま》しさというか、すぐには肯《がえん》じえないものを感じているところが、すくなくともかつて「芸術家」にはあったとおもう。おのれがそういう職業名で呼ばれることに、どこか居心地の悪さを感じるということが。

このことはケアの「専門家」についてもいえる。看護師や介護士、臨床心理士、カウンセラー、ケア・マネージャーといったケアの専門スタッフのみならず、教師や僧侶もふくめ、個人としての人を相手に広い意味でのケアといういとなみにかかわっている人びとは、みずからの仕事の専門性ということに、しばしば疑いやためらいを感じる。おなじ「人相手」であっても、サーヴィス業の場合には専門的なテクニックとか、コツや「手」といったものはある。が、これがケアという仕事と異なるのは、サーヴィス業では「顧客」とか「消費者」を相手にするのであって、名前をもった個々のだれかを相手にするのではないからだ。じっさい、子育てにしても、教育にしても、介護や介助にしても、「資格」をもった人、専門的な知識や技法をそなえた人がかならず子育て、教育、介護・介助において秀でているというわけではない。正確というわけでもない。新米の教師や僧侶や看護師よりも年輩の普通の男女のほうが、はるかに行きとどいた教育や深い語りかけや厚い看護ができるというのは、見なれた光景である。かならずしも専門のではなくむしろ人生の経験をたくさん積んでいるということが、ケアの実際においては「資格」以上にはたらく……。そういう立ち位置の危うさに、「芸術家」のそれは通じるところがある。

「芸術」というものは、たとえば家族生活を犠牲にしても、あるいは戦争のさなかにでも、やりつづけなければならないものなのか？　「芸術」にたしかな存在意味があるのかないのか？　じぶんがやっていることはほんとうに「芸術」なのか？　じぶんが身を賭して取り組んでいるものについて、そういうふうに問いつづけ、それが「芸術」として存在しうるのか否かのぎりぎりの稜線に立ちつづけるのでなければ、「芸術家」ではない。そしてかれらはそこに自己の存在根拠への問いを賭けている。だから、「芸術家」という公的な職業名で呼ばれることにどこか疚しさを感じる……。そんなふうにおもってきた。

「アーティスト」という語感、これが「芸術家」のそれと異なるのは、そう称する人たちがみずからの活動を職業として意識しているからとも考えられる。「芸術家」は、務めを内に強く感じているが、職業という外からの枠づけは拒む。できることなら「芸術家」という看板は外したい。一方、「アーティスト」たちが職業と思い込んでいるものがほんとうに職業であるのかには、疑いを挟むことができる。そこでは、「務め」というよりもむしろ仲間内の「キャラ」としてそれが意識されている可能性がある。仲間内で、コミュニケーション・スキルがきわだって高い、あるいは仲間よりうんと広い場所に出ているという幻想が、かれらをして「アーティスト」と称させる理由になっている可能性もある。だから、傍《はた》が戸惑うほどあっさりと下りることもできる。これに対して、「務め」はそこからは容易に下りられないものだ。みずからの存在根拠が懸かっているから。この差は意外に大きいようにおもう。

さて「アーティスト」なる存在をめぐっては、さらにもう一つ、気になることがある。何も創らないアーティスト、もう少し正確に言うと、美術のマーケットで取り引きされる「作品」というものを創らないアーティストの存在である。市場に組み入れられることを拒むというよりは、そもそも市場で商品として流通することが不可能な創造行為というべきなのだろうか。それとも、「作品」を制作するのではなく、何かある「出来事」を出現させることとしての行為とでもいうべきなのか……。が、そういう活動も現時点ではさらに液状化していて、もはやそのような規定によって輪郭をなぞることすらできないようにおもえる。

「芸術とは何か」という問いに答えようとする試みが、まるでおさだまりのように、欲求不満と混乱のうちに終わるとすれば、おそらく——哲学ではしばしばこんなことが起こるのだが——問いが悪いのである。

（ネルソン・グッドマン『世界制作の方法』菅野盾樹・中村雅之訳、みすず書房、一九八七年）

グッドマンは、（鑑賞者の眼からすれば）アートとノン・アートの境界にあるように見えて「これは芸術なのか」と戸惑ってしまうような作品群の評価をめぐり交わされる「芸術とは何か」という論争に、いわば斜交《はすか》いから介入していった。アートの液状化というとき、わたしがいま入りかけているのもそういう問題の一領域、そして問題へのそういう入射角なのだろうか。

グッドマンは、路上から拾ってきた石を、あるいは毀《こわ》れた自動車のフェンダーを、ギャラリーに置いただけのもの、（彫刻家・オルデンバーグの指示でなされた）セントラルパークで穴を掘り、また埋めるという行為、さらには環境芸術、概念芸術などを例に挙げて——グッドマンが挙げているのは七〇年代までの例だが、現在ならアウトサイダー・アートもここに含まれるだろう——、それが芸術作品かあるいはそうでないかを区分けしようというのは、まちがった問いの立て方だという。ある物ないしは出来事が、あるときは芸術作品として機能し、別のときにはそのように機能しないという点に着目し、「ほんものの問いは「どのようなものが（恒久的に）芸術作品なのか」ではなくて、「あるものが芸術作品であるのはいかなる場合なのか」——あるいはもっと短く……「いつ芸術なのか」である」、というのだ。「芸術が何であるか」とその本質を問うのではなく、「芸術が何をするか」というその機能において問うべきだ、と。

その機能をグッドマンは「象徴」ないしは「指示」といった記号作用に見ている。そして暫定的にある物ないしは出来事が「作品として機能する」五つの規準（構文論的稠《ちゅう》密《みつ》／意味論的緻密／相対的充満／例示／多重で複合された指示）を挙げるのだが、これらは芸術を定義するものではなく、結局は手がかりもしくは徴候にすぎないという（徴候がないのに病気であることもある）。そしてこの「象徴」ないしは「指示」のさまざまな様態においてそれがどのような「世界制作」（worldmaking）につながっているのかを見てゆく必要があるとする。

ここでこの五つの規準について、あるいはグッドマンの「世界制作」なる概念についてさらに仔細に論じてゆくつもりはない。「いつ芸術なのか」という入射角は引き継ぐにしても、わたしがしばらく眼をこらしていたいのは、モダンアート、現代アートがそうであったように、「アートとは何か」という問いに突き動かされてでも、そういう問いを内蔵してでもなく、さらにじぶんの活動がアート（もしくは、アートの否定）へと最終的に納得できるかたちで着地することをめがけすらしないで、しかしもう走りだしている活動、アート未満の活動である。

ミネマルヒゲの／というパフォーマンス

二〇一三年三月にいったん活動を停止し、東京に移住してしばらくゲストハウスの従業員として働くことになったパフォーマーがいる。「自称アーティスト、ただのフリーター」だとじぶんのことを言うその人の名は、峯奈緒香。学生時代より京都では《ミネマルヒゲ》の名で活動してきた。

二〇〇七年から一二年までの五年間、彼女はおよそ五百回にわたり、通行人に朝の挨拶をするというパフォーマンスを路上でしてきた。二〇〇七年から一〇年まで三年間、当時学生として所属していた京都造形芸術大学の玄関ともいうべき大階段で、通学してくる学生に向けて「朝に何かやる！」シリーズを敢行した。二〇一〇年から一一年にかけては、京都・三条大橋たもとの高山彦九郎像の前で、朝の通勤途中の人たちに挨拶する「おはよー！　京都～私が出会った１００人のシリーズ」をやった。これは、たとえば携帯ゲームに熱中する小学生や卒業式で号泣する男子高校生、炬燵で年賀状を書く主婦といった、毎回違った架空の人を演じるパフォーマンス。百回で区切りをつけ、その後上海に渡って四カ月間、街頭パフォーマンスと制作に取り組む。そしてパフォーマンス映像作品「奇妙的上海朋友／上海の愉快な仲間たち」を発表。そして二〇一二年一月から二〇一三年の初めにかけて、毎週水・木・金曜日の朝八時半から九時過ぎまで、こんどはなりきりの街頭パフォーマンスを京都市役所前で続ける。なりきるそのキャラクターはじつに多彩で、鬼、唐傘小僧、口裂け女、モルガンお雪から、ヒデキのファン、ヒデキのファンの息子、チョコレートマン、ウンコマン、モンシロチョウ、さらには海やマグマ、おにぎりや鏡餅、モナ・リザやオバマ大統領、そしてついに仲間を動員し地べたに座ってサザエさん一家まで演じた。

この最後の一年の街頭パフォーマンスについて、峯は、「あなたが見たいと思う世界の変化にあなた自身がおなりなさい」というガンジーの言葉がたよりだったとして、手書きの報告書（月二回発行）のなかで、次のように書いている。

> 私が海外に出て感じた「たいしたことない自分」と、地震という自然の脅威から感じた「たいしたことない自分」が合わさって、私はしばらく呆然と考えました。そうしてまた、路上に立つことにしました。〔おはよー！　京都市役所前〕……これが、たいしたことない私の、私なりのやり方です。
>
> （報告書 2012/No.5　2012.3.9）

あるいは、

何もない自由の中で自分を遊ばせることより、ある程度の習慣や決まり事の中で浮遊することの方がよっぽど気が楽だった。寒くて辛い冬なら尚更、余計なことを考える隙間がないくらいいろんなことを敷き詰めて、先の何かを絶やしたくはないのです。私のこのささやかな抵抗があなたの日常のちょっとした楽しみに繋がれば幸いです。

（報告書 2012/No.2　2012.1.30）

同様の思いは別の号（報告書　2012/No.7　2012.4.3）でも書かれ、じぶんは「どんくさい人間」だから「人前に出て痛いくらいに何かを肌で感じたり、あえての手書きでこういうことでもしていないと落ち着かない。体をクタクタにさせないと「今ここ」をちゃんと実感できなくて、生きてる心地がしないのです」とも書いている（この「体をクタクタにさせないと……生きてる心地がしないのです」という表現には、志賀理江子の身体感覚について追って論じる際に、あらためて再会することになるだろう）。

いかがわしいものを見るような、あるいは突き刺すような他人の冷ややかな視線、それを浴びるのはもちろん痛いこと、苦しいことだったが、「その痛みや苦しみの中にこそ、私の生を奮い立たせる力があったのだと実感して」いたと峯はいう。峯は、人から物や自然事象までどんなキャラクターでも演じられるように、「自分自身にはできるだけ特別な色をつけてはいけない」とおもい、髪の毛を染めることも爪に色を塗ることもせず、「〝何者にでもなれる〟よう私自身をぼやけさせる」ことに努めたとも書いている。

そして二〇一三年四月、峯は「峯奈緒香自身に色をつけた状態で表現をしたくなりました」という言葉を残して、東京に発った。その直前の二月から三月にかけて、京都のARTZONEで盟友(?)・山田登美子と「私にとってのゼロ地点」(二人展《他者とまじわる》における峯コーナーのタイトル)という、六年間の街頭パフォーマンスを総括する展覧会を開いた。「ゼロ地点」というのは、「今まで」と「これから」の分水嶺にじぶんがいまいるという意味だ。会期末近くになってわたしがこの展覧会を訪れたときは、ひょっとして「ゼロ」のじぶんを演出しようとしたのか、バスタオルを肩から羽織るだけ、あとはすっぽんぽんという風体で迎えられ、度肝を抜かれた。

どうしてるかな、と久しぶりに検索すると、ほとんど更新されていないツイッターのなかで、(二〇一三年)六月二三日付けでこうつぶやいていた。――「表現に自分の身体を絡ませて表に晒していないと精神的に不安定になってしまう、みたいな心の病がなくなったような気がする」、と。峯は《ミネマルヒゲ》を卒業ないしは廃業したのか。それは「アート」という強迫観念の外へ出てゆくということなのか。ではなぜ「ギャラリー」という場所で総括をおこなったのか。あるいは、「アート」という水面に顔を出しかけてふたたび潜行をみずからに強いたということなのか。それは「アート」よりもっと切迫したものに直面したというだけのことなのか……。疑問をいっぱい残して、彼女は京都を離れた。

陸前高田に移り住んだ二人の藝大生

世界のなかに、人びとのあいだに、じぶんというものをどう定位したらよいのか、それが不明なまま、皮膚をわざわざ擦りむくかのような行動を五百回にわたって敢行した峯。彼女に出会ったとき、何を求めてかはさだかでないが《身をさらす》あるいは《身を挺する》行為に出たもう三人の女性のことが頭のなかにあった。

一人は、9・11をきっかけに、あの「殺戮」を忘れないために、いっしょに寝るがセックスはしないという〈信頼〉に賭けて、毎夜、知人の男の家、かれに紹介された知らない男の家を泊まり歩くという、「反戦」プロジェクトとでもいうべき奇妙な「難民生活」を、一三三日間にわたって敢行した一九七八年生まれの女性、小林エリカである。彼女は現在、絵、マンガ、映像、小説、コンピュータ・アーキテクチュアなどの領域を跨いで活躍する表現者となっているが、彼女が二十三歳の時点で取り組んだこの風変わりなプロジェクトの詳細を、わたしは彼女の著書『空爆の日に会いましょう』（マガジンハウス、二〇〇二年）で知った。それにしても彼女にとってなぜこのようなプロジェクトだったのか。そこのところにもひっかかっていた。

そして東日本大震災後しばらくして、東京藝術大学の大学院に進学したばかりの二人の女性が敢行した「被災地支援」の活動について、人づてに聞いた。

この二人は、東日本大震災のあったあの三月の末、レンタカーを借り、さまざまな物資を積み込んでまずは北茨城まで赴き、続いて北へ一路、青森県の八戸に向かった。道を探しつつ三陸の沿岸部を南下。いくつかの被災地を訪れ、そこで車中や避難所、マンガ喫茶などで寝泊まりしながら、できる手伝いは何でもしたあと、東京に戻って報告会を開く。そしてまた東北に引き返して、復旧作業を手伝うかたわら、被災者の話をひたすら聴き、それを膨大な量の映像として記録し……という生活を一年続けたあと、二〇一二年の四月からとうとう岩手県・陸前高田に隣接する気仙郡住田町に居を定めた。「アーティストの卵」と世間ではいわれる人たちが、表現ではなく記録・報告に徹し、ついに被災地の住人となり、そこでアートとは何の関係もない仕事に就いているということ、この行動と決断がどういう思いのなかでなされたのか、それを訊きたくて、陸前高田を訪れた。「奇跡の一本松」で有名になったあのまちである。

その二人の名は、小森はるかと瀬尾夏美。

二〇一三年七月、わたしは仙台から車でおよそ二時間半、東北道を北進し、平泉の手前、一関で高速を下り、山間をいくつも抜けて、ようやっと陸前高田の元の市街地近くにたどり着いた。まちに入る前に立ち寄ったのは、小森が給仕のアルバイトをしている蕎麦屋。女子高校生のアルバイトみたいな風情があまりにその場にはまっていて、ちょっと面くらった。そこへ瀬尾が合流、二人に陸前高田の復旧状況について説明を受けながら、伊東豊雄の「みんなの家」に立ち寄ったあと、瀬尾の勤める写真館に移動する。

　まちの大半が波にさらわれた陸前高田では、市役所も駅も駅前の商店街も消え失せ、交通表示も信号もない道と雑草の生えた平地としてしか昔のまちを知らない者には見えない一方で、七夕祭の山車《だし》の準備だけは少しずつなされていた。被災後二年以上経った当時もところどころに瓦礫が山積みになったままで、いずれ住宅を建てるために数メートルあろうかという盛り土の作業もなされていた。予想に反して、道路や港湾の整備にあたる大型トラックやクレーン車は数えられるほどしか稼働していない。いろいろ難しい事情があるにしても、復興の遅れはただごとではない。一方、遺されることが決まった唯一の被災ビルの前には、被災地ツアーのバスが到着していた。がらんどうのビルの内部にはなんと、海岸にあったはずの巨大な松の幹が、まるで耐震対策のため対角線上に打ちつけた梁のように食い込んでいた。

「ここでわたしは遺影をつくっているんです」――これが瀬尾の口から発せられた最初の言葉である。彼女はここO写真館でアルバイト社員として、流されたぼろぼろになった写真をディジタル処理して遺影にする作業、被災者のために行政手続き用の証明写真を撮る作業、それに闘病中の写真館の店主がずっと引き受けてきたまちの小中学校の卒業アルバムの制作がこの二年間できていないので、彼の仕事を引き継いで、一つの学校で何万枚とある写真を編集する作業――運動会の写真だけで何千枚とあり、一つ一つの顔をまずは憶え、それぞれに何度写っているかを考えて写真を配置する――、さらに今年の卒業アルバムを制作するために修学旅行に同行して撮影する仕事に従事しているのだった。

あらためてふり返ると、事の経緯はこうである。

東京藝術大学・先端芸術表現科のクラスメイトだった小森と瀬尾は、二〇一〇年度の卒業作品展の運営にともに加わった。大学院への進学も決まり、アルバイトも辞めて、あとは卒業式を残すのみという時期である。そこへ三月一一日の大震災。家の風呂が壊れた瀬尾は、風呂を借りに小森のアパートへ。水も米も買えないという都市パニックのなか「節電」しながらTVのニュースを観たりして過ごしていたという。

「やっぱり何かしたいよね」、「でも行くのはどうなんだろう。行って何かをしてあげるなどという立場でもないし……」などと言いあっているとき、震災のニュースで中学生の男子がふつうに瓦運びをやって、おばあちゃんが「ありがとう」と言っているシーンを眼にする。「ふつうに近所の手伝いをするみたいなノリでやったら助かる人がほんとうにいるんだ」とおもい、「じゃあ、行くかあ。行ったら少し役に立つっぽいよ」ということで、レンタカーを借りて三月三〇日に出発した。

その後の活動については、水戸芸術館現代美術センターのカタログ『3・11とアーティスト―進行形の記録』（二〇一二年一一月）に寄せた彼女たち自身による行動履歴を次に再録する。

2011.03.30 ―ボランティア活動開始（北茨城市）
04.01 ―東北移動報告のブログを立ち上げ、ツイッターでも情報発信
04.05 ―青森から茨城までの沿岸部の記録開始
04.25 ―活動報告会「東京の人へ、東北報告会」開催（3331 Arts Chiyoda、千代田区）。以降、毎月約10日間のペースで東北沿岸部に通う
09.01-30 ―東北地方に1カ月間滞在。現地の様子を記録、各市町村の災害ボランティアセンターを取材。その滞在記をのちにウェブサイトで公開
12.16-19 ―活動報告会「そこで出会ったことば――東北のいま」開催（京都大学、3331 Arts Chiyoda）
2012.03.10 ―同報告会、「あいだのことば」上映会開催（せんだいメディアテーク）
03.11-25 ―「砂粒をひろう（Kさんの話していたこととさみしさについて）」オリジナル版発表（3331 Arts Chiyoda）

04. 上旬　一住田町（岩手県）へ移住し1年間の滞在開始。アルバイトや震災記録アーカイヴのスタッフをするかたわら制作を継続中

ちなみにわたしが二人を訪ねたのは二〇一三年七月であるから、住田町での滞在はすでに二年目に入っている。

足踏み

被災地でのヴォランティア活動に写真の洗浄と映像記録が加わっているのは、小森が映像制作を専攻しているからということがある。けれども映像を撮るということについては、ある時期までかなりのためらいがあったようだ。

海岸沿いの道路が不通になったこともあって、彼女たちの移動の軌跡は、高速道から沿岸部へ、また高速道に戻り別の沿岸部へと、魚の骨をなぞるような形をしていた。二〇一一年四月、八戸から宮古へ移動して、そこである婦人から、親のいる宮古の北の海辺の小さな集落が全滅したという話を聞いたが、様子がわからないので、「カメラもっているなら代わりに見てきてほしい」、そして「見たくないけど撮っておいて」と頼まれる。二人は宮古まで行ったが、「もう一回ぜんぶ撮ろう」と起点の八戸に戻る。そして被災状況を撮影しながら仙台まで南下する。次に五月に行ったときは、一回目に会っ

た人にまた会いに行くといった回り方をする。そのあとは毎月、「訪ねてきてくれてありがとう」と、返礼みたいなかたちで震災のことを長々と話してくれたおばあちゃんが暮らす陸前高田を訪ね——「毎月一一日には陸前高田に身を置きたいとおもってた」——、あとは場所を固定せずにあちこちの被災地を回っていたという。このときにはすでに引っ越しのことを考えていたが、九月時点ではいまだ果たせず、代わりに一カ月、東北各地に移動滞在することにした。この期間に、まずは福島で、瀬尾が地元の人にインタヴューをし、小森がそれを撮影するというスタイルの作業を開始することになる。「このときはまだ表現者としてその活動をしていいのかということにはぜんぜん踏ん切りがついていず、いちばん役に立ちそうな仕事はこれだというのでやりはじめた」と瀬尾。「ブログもずっとやっていたけれど、写真は載せずに、道路情報とかヴォランティアの受け入れ状況とか、トイレはここ、女の人はここでお風呂に入れますみたいな情報を載せていて、そこに表現なんて発想はまったくなかった」と小森。

ちなみに、当時の二人の行動をたどろうとしても、ブログが現在は閉じられているので見ることができない。わたしが以前に切り取っておいた小森の記録の一部を移動の跡だけ抜き書きすると、たとえば二〇一一年九月一日から一一日にかけての行動はおおよそ次のようである——

九月一日　午前三時半、瀬尾とともに東京・池袋を夜行バスで出発。二週間ぶりの東北行き
九月二日　朝、仙台駅着。知人宅で下調べと準備
九月三日　台風。写真の洗浄・展示をおこなっている名取市閖上《ゆりあげ》小学校へ
九月四日　亘理《わたり》、次いで岩沼の災害ボランティアセンターで取材
九月五日　石巻のボランティアセンターで社会福祉協議会の職員にインタビュー。石巻の民家を訪ね、宿泊
九月六日　民家で大量の洗濯。鹿妻《かづま》の避難所、仮設住宅で物資配布の手伝い。仙台に戻る
九月七日　山元町の町役場、ボランティアセンター、写真洗浄・複写・検索システムの構築を先進的におこなってきた拠点、仮設住宅の集会所で取材
九月八日　休日。車のトランクの掃除、市内で買い物
九月九日　塩竈《しおがま》経由で名取のボランティアセンターで取材。さらに荒浜経由で七ヶ浜へ
九月一〇日　こども祭を見に石巻小学校へ。写真洗浄の会場、東松島の中学校で取材
九月一一日　南三陸町、気仙沼経由で陸前高田へ移動。慰霊祭に参加。四月に知りあったおばちゃんの家訪問。ボランティアセンターのミーティングの撮影

2011年４月　3331 Arts Chiyoda（千代田区）で報告会

夕刻より八戸に移動、マンガ喫茶泊

活動報告会は、最初は二〇一一年四月に東京藝術大学で「無理やりおこなうような感じ」で、それ以後は噂を聞きつけた人たちに招かれて、都内（大学と3331 Arts Chiyoda）と横浜、京都で四回おこなっている。報告会では「食卓で話されていることとか、見たままを伝えるという感じ。町によってこういうことがこう違うとか、アートとは関係のないしゃべりばかり。写真を見せないほうがいいんじゃないかとおもって。『これ本当です』と一枚の写真になってしまうのがいやで」（瀬尾）。二人が「記録」と言い「報告」と言うときには、じぶんたちの撮った画像が「ドキュメンタリー」として受けとられることを拒んでいるように聞こえる。他方、それらを「表現」として意識することはまったくなかったとも言う。

「ドキュメンタリー」でも「表現」でもない撮影行為、

炬燵で斜め横に座って昔のまちの暮らしなどについて延々と話を聴くだけでなくその様子をも撮影するという行為。それが彼女たちにとってどういう意味をもつのか、とても気になった。で、震災直前までの大学での制作活動について質問してみた。瀬尾はちょっと頸《くび》を傾《かし》げたあと、こう語りはじめた——

「表現するということが大学で制作しているような感じだと、これはぜんぜん社会に開かれていないなというのはあった。課題をこなしたり、わたし自身はじぶんの思い出をほじくり返すような作品をつくったりということをしていたんです。それは空回りで、ほんとうはアートじゃなかったと、いまだと言えます。それに気づいているかは微妙ですけれども、みんなやっていることのレヴェルはおなじ。ほじくることでしかない。

東北に来なかったら、たぶん、ギャラリーに入って、美術館に飾られて、大学の先生になって……みたいなわりと順調なステップをイメージしていたかもしれません。でも、アーティストという職業は、じぶんのスタイルを切り売りしていくような仕事なのかな、という思いはありました。だとすればわたしはそれにはなりたくないな、というのは藝大に入ってからずっとあって、ただステップを踏むだけとか、じぶんのセンスを切り売りするだけだったら、そんなのやりたくないなとおもっていました。でもじっさいにどうやって生きていくのかはピンとこなくて、「大学院行くか、とりあえず」みたいな感じでした」

「課題をこなす」こと、「ステップを踏む」ことへの違和。これは、より高いところへと一段一段上昇してゆくこと、つまりは社会によって組まれた階梯《かいてい》を他者との差異を生産しながら昇ってゆくというかたちで、じぶんを保つことへの違和なのだろうか。「思い出をほじくり返す」こと、「じぶんのセンスを切り売りする」ことへの違和。これは、他者とのちまちまとして些細な差異（特異性、あるいは独自性？）をおのれのなかに確認することでしか、じぶんを保てないことへの違和を意味しているのだろうか。そうだとすれば、そういうあらかじめ社会的に象《かたど》られた差異（能力の差異、感受性の差異）の生産を加速するだけの現行のアート・システムへの違和、つまりは差異（＝違和）のシステムへの違和がそこでさりげなく表明されていると、彼女の言葉を解することもできるかもしれない。

違和が推奨されることへの違和というのは、わたしに二つのことを思い起こさせる。一つはモードという消費社会のロジック。このロジックの特質は、モードの外部を認定しないというところにある。モードの論理はそれを否定するものまで呑み込んでゆく。数々のアンチ・モード、たとえばドレスダウンの一つとしてのポペリズム（貧乏主義）、あるいはモードという現象に唾を吐きかける行為としてのパンク、あるいは「モードなんて知らないよ」とそれから下りる行為（ブランド現象への組み入れを拒む「無印」や古着志向）をも、モードは呑み込み、おのれの滋養とし、その最先端のスタイルへと仕立ててゆく。モードを批判する行為も、モードから下りようとする行為も、アウト・オヴ・モード（流行外れ・流行遅れ）も、すぐに最新のモードに変えられてしまう。いやそれどころか、みずからの終焉を演じてみせるモード、つまりは「最後のモード」（le dernier mode〔最終の様態〕）すらも「最新モード」（la derniere mode〔最新の流行〕）へと呑み込んでゆく機械のような力学である。服のデザインにかかわる人がこの力学の外に出ることはほぼ不可能である。アートにおける「センス」という差異についてもおなじことが言える。現代アートは、たとえば無作為のみならず、下品、悪趣味、醜悪ですら「センス」の表現として包囲してしまう。おのれを否認するものをもふくめ、あらゆるものを呑み込んでゆくうわばみのようなこの強力《ごうりき》を、ジャン・ボードリヤールはかつて「あらゆるものが相対的関係におかれるというモードの地獄」と表現していた。

そういう強力を水面越しに体感したとき、アーティストの予備軍たちはとっさに怯《ひる》むことだろう。海中にいると、海面上の世界が陽光に混じりあってぼんやり見えるけれども、その海面には浮上しないで、いましばらく海面下でもがいていたいという思いとでもいったらいいのか、要はアートのそうしたシステムに乗らないといった否認ではなく、もっと非現実感に近いもの、すんなり「入っていけない」といった、「社会」のとば口での足踏みのようなものだろう。そしてこの感覚はきっと、アートにかぎらず、流通、通信から行政、教育、医療までサーヴィス・システムに全面的に依存しないで生きることが困難なこの社会で生活しているあらゆる人の足踏みでもあろう。

　こうしたとば口でのみずからの足踏みをすら、いまいちど否認してしまうのが「優等生」だというのが、もう一つ、思い起こしたことである。もう十数年前のことになるが、当時栃木県で小学校の教員をしていた作家の永山彦三郎が、その著『学校解体新書——世紀末ノ教育現場カラノ報告』（阪急コミュニケーションズ、一九九九年）のなかで、「頭のよい、真面目できちんとした女の子」の変容についてこう書いていた。——「不良少女と普通の少女の境界線が消滅したといわれて久しいのですが、ここで僕がいいたいのは優等生が容易に不良少女になりうるということではなくて、たとえ優等生のままでい続けていても、でも心の底ではそうした自分を強く否定している子が増えている、という意味での変容がある」、と。瀬尾は、ひょっとしたら「課題をこなす」こと、「ステップを踏む」こと、「思い出をほじくり返す」こと、「じぶんのセンスを切り売りする」ことと、そのいずれをもじぶんがこれからたぶんできるだろう、してしまうだろうということに怯えていたのではないか、とわたしは想像した。「社会」というものの要求にそれなりにうまく応えることができてきた「優等生」は、聡《さと》いがゆえにそのようにうまく応えられているじぶんを肯定することができない。そんな自己否認の感情に溺れてしまいそうなじぶんを瀬尾は冷徹に見つめていたのではないか、と。そんな瀬尾にとって、藝大というのは、ここでは何でもできる、こんなじぶんでもここにいていいのだという

「居場所」ではもはやありえなかっただろう。生きづらいみずからの存在を、「アート」という観念を媒介にあたりまえのように承認してもらえる、そんな自己肯定の場所、「救い」の場所でありうるはずがなかったろう。瀬尾らの語り口から、わたしはひょっとしたら過大かもしれないそのような空想をした。

〈記録〉と〈報告〉

そんな足踏みをぐいと別方向に切り換えさせたのが、あの震災だった。海面上の世界はもしかしたら存在しないのかもしれないという問いさえ封じて、あるいは括弧に入れて、おなじ思いの小森とともに、つくらずにひたすら聴く、そしてそれを撮るという行為に出た。

藝大の学部時代をふり返ったあと、瀬尾はこうつないだ。「いまやることは（「思い出をほじくり返す」とか「センスを切り売りする」とか）そういうレヴェルの話ではなくて、じっさいに困っている人がいるし、できることがあるし、見えてきていることもあるので、役に立つということをやろうという発想になった」、と。いきなりそっちに行ってしまうの？「役に立つ」というシンプルな言葉に、わたしはひどく面くらった。「役に立つ」というのは、ことアートに関するかぎり、みずからを貶《おとし》める語でしかないとおもったからだ。が、それはこの期に及んでまだ「アートとは何か？」という問いを解除しえていないわたしの浅はかさであった。

映像専攻の小森が報告会で画像を使わなかったのには理由があった。「何だろう、それ［被災地］を見て、そこで起きていることがあまりにも大きすぎて、意味もわからないし、考えきれもしない、そんな思いに圧倒されていました。だから表現なんてレヴェルではとても考えられませんでした」。わたしはわたしのほうで、彼女たちの移動距離、そして聴き取りにかけた法外な時間に圧倒されていた。

「表現」に関して足踏みしていた彼女たちに転機が訪れたのは、二〇一一年一二月に京都大学で開催された報告会の後だった。それは二人にとってはじめての「伝わらない」という経験だった。小森は言う――

「その頃には震災というのはこういうものという、そしてそれに対してじぶんはこういう考えをもってこう向きあっています……みたいなことが、会場の一人ひとりのなかにすでにできあがっていた。震災直後はみんな訳がわからないから「どんなだったの？」と訊かれたけれども、言葉がそれ以上入っていかないというのがだんだんわかってきて、でも言葉でそれを伝える仕事をわたしはしてきてないし、写真を見せても伝わらないんだなというのもあって……。それまでわたしは「伝える」ということと、じぶんがそれを作品とか表現とかにするということとは少し切り離していたんですが、京都でのこの報告会を機に、じぶんたちは表現にかかわっていて、いまつくらないといけないんだとはじめておもえた気がします」

それを承《う》けて瀬尾は——

「あちこち回るだけで、わたしたち自身それぞれの土地のことを知らないし、きちんとかかわってもいないのに言葉にしているというところで、やっぱり誠実でないというか、不安がありました。「報告」という言葉ではもうだめで、もう一個アップして「表現」にまでもち上げないと、たぶん見てもらえないし伝わらないだろう、というような思いでした」

こういうかたちで役に立てる、だからカメラを回していいんだと身を起こしたことと、表現へと一段上げないと伝わらないとおもったことのあいだには、水準に大きな差がある。このような転回はどのようにして起こったのか。

映像であれ描画であれ、表現に取り組むならアトリエに籠もるというのがだれもが考える方法だ。が、小森が考える方法は意味がすこし違った。——「この凄まじい出来事というのは、じぶんで感じるというだけでは絶対だめで、考えつづける方法というか、伝える方法はずっと必要だとおもっていました。それまでわたしは、それは表現ではないとおもっていたんですが、それこそが表現だとおもうようになりました」。「表現」という行為はほんとうに表象（イメージやオブジェ）として作品をつくることなのか。二人はそのことをゼロから考えなおそうとしている。

「記録」といえばふつう、「表現」とは違って、何かを伝えるために個人的な思いを消去するというふうに考えられる。「表現」は、人が生活しているまわりにあるちょっとしたざわめきとかざわつきとか空気に感応するところがあって、記録のめざす鮮明さとは異なる入射角をもっているようにふつうはおもわれている。

そんな疑問に小森はこう応じてくれた。「ずっと記録そのものがおもしろかった。再生してると、「この人、いつもこのときこういう手の動きをする」というようなことがあるし、おもってもみなかったものが映っていたりということもある。しゃべっている言葉を文字起こしすると、聴いたのとは意味が違って、ほんとうはこういう意味でしゃべってたんだなとわかったりする。それがすごくおもしろくて……」。

とっさに、「1「社会」の手前で」で引いた、アートは「独立した状態で誰かに見せるものではなく、「術」として使われるべきものではないか」という畠山直哉の言葉を思い出した。小森にとって「記録」は「表現」と対立するものではなく、「表現」はまたけっして自己表出なのではない。それはそのつど特異な関係のなかで使われる「方法」もしくは「わざ」なのである。そしてそのかぎりで聴くその人、撮るその人が関係のなかで編みだすものである。となれば、「報告」にも「方法」があるはずという、小森の予感は精確だったことになる。そんなことを考えつつ、畠山の言葉とともに浮かんだのは、小森と瀬尾が中継地点として、あるいは報告会の会場として何度も訪れたせんだいメディアテークが二〇一三年春に刊行した『技《わざ》と術《すべ》』（ミルフイユ05号）の巻頭言（甲斐賢治）のなかにあった言葉だ。

「技術」という言葉は、産業のもののみを指すのでも、科学のためだけにあるのでもありません。ときにそれは「芸術」と称されるような、ひとびとがよりよく生きるために、それぞれ獲得し、駆使してきた「技術」でもあるように思えます。さらに、ここで言う「技術」とは、手を動かすそれに留まりません。想像すること、つながること、受けとめること、保留すること、逃げだすことなど、さまざまな状況に作用する、そんな振る舞いや手立てとも言えます。〔……〕それぞれにいびつで固有なはずの生きる「技術」に光をあて、世界と私との関係をつくり直せないか。もしかすると「私」とは、二度とありえない「技術」の集積そのものなのかもしれないのです。

「記録」「報告」「方法」「技術」……そんな使い古された言葉、アートの対極にあるとされてきた言葉が、小森をとおしてきらりと甦りつつあった。陸前高田のまちですれ違うおじいちゃん、おばあちゃんの表情から、小森と瀬尾がマスコットのように可愛がられているのを実感したが、こうした濃密な関係も身体化した二人の「技術」のなかで築かれたものとうかがわせた。

一方、瀬尾の言葉にはちょっと別のニュアンスがある。瀬尾は高校時代から写真に映るものにはそんなに興味がなくて、荒木経惟の本などを読んで、写真というのは関係するために機能するものだと考えようとしていたらしい。じっさいポートレイトを撮るときには、撮られるほうも撮るほうもそれぞれふだんのそれと違う状態になっているのに、「いい写真じゃん」とか言われて、「わたしとその人の関係というのはもうすこしずれたところにあるのに、周りにはそれが真実のように受けとられているのがすごく気持ちが悪くて、そんな気持ち悪さがずっと引っかかっていました」。そしてこう続けた。この作業をつうじて「時間をかければ中間者くらいにはなれるかもしれないとおもって……」、と。その出来事から遠く隔たった場所にいる人に、その出来事に向かうわたし越しに出来事を見てもらう、そんな媒介者のような役割を表現と考えてみたい、と。

そういう意味ではまだ地元の人たちときちんと会話できていない。「「わたしたち一年以上は住みます」と言えたらじぶんにも踏ん切りがつくし、相手とも対等ではないにしても会話が成り立つんじゃないかというのが感覚的にあって、それで小森と相談して、「引っ越してきちゃいました」という感じで陸前高田に移り住むことにしたんです」。

抜き差しならない地点

引っ越しは東北に通いはじめてちょうど一年経った二〇一二年の四月にした。陸前高田は場所がないので、一つ内陸にある住田町に住み家を見つけた。そして現地のアルバイトで生計を立てる。アルバイトは、防災科学技術研究所がアーカイヴの一環として大船渡市に開設した復興地図センターで、現地撮影のスタッフから始めた。期間は二〇一二年六月から翌年の三月までとけっこう長い。アルバイトなのに「ガチで週5働いた」。何を撮るかをふくめてほとんど丸投げのような仕事だったので、二人で相談し、まずは月一回、おなじ場所を写真で定点観察し、それにいちおう業務として振られていた住民インタヴューをやり、あとは市の説明とか復興にかかわる住民レヴェルの話しあいなどの映像記録を撮りつづけた。「ドはまりして、制作もなんもなくけっこう本気でやっていた」と瀬尾はふり返る。

小森はその後、地元のテレビ局の報道アシスタントをほんの一時期、局員の代役としてやり、七月からは（震災後二年をおいて高台で新装開店した）蕎麦屋での接客に精を出している。「バイトがある日はほぼ一日潰れてしまって、お休みの日は撮影をして、頼まれた記録もあるし、あとはじぶんが映画をつくろうと思い、何人かの人にそれぞれ一日つきあって撮影をさせてもらっています」と、いまを語った。

瀬尾のほうは、取材した人たちの映った映像の使用をめぐって上司と対立、三月まで

2014年6月　陸前高田市高田町森の前

の契約より少し先に辞める。小森にその後始末をしてもらうことになったという。が、そこから瀬尾は予想だにしない事態に踏み込むことになる。

二〇一三年一月より瀬尾は、大船渡の仕事を終えてから、夜に陸前高田の山手に移転したO写真館で、先にもふれた二年分の卒業アルバムの編集の手伝いを始めた。店主は「まちの記録係」をみずから任じている人で、ずっと市の消防団の師団長もしてきて、この震災で多くの部下のみならず自身の妻と一人娘も失った。Oさんには失意のなかの苛酷な復旧作業で相当なストレスが溜まっていたようで、体調を崩しつつあるOさんの前で瀬尾がしたことといえば、まずは震災の話から亡くした娘の話、流された食卓の話、かつての地域の話まで、夕食後四時間ほどかけてひたすら話を聴くこと、そしてOさんが眠りにつくのを待って、それからスタジオで編集の作業にかかるということだった。瀬尾はこんな濃密だが苛酷な時間にも「はまった」。

そうこうしているうちOさんが倒れ、病気も重いので、編集の仕事を一手に引き継ぎ、時間を見つけては病院に世話に通う日がずっと続いている。病院から写真館に戻る車のなかで瀬尾が何を考えたのか、ベッドの横でどんなやりとりがされたのか、親戚や地域の人たちのあいだでどんな思いでいたか……。彼女が言葉を選びながら話すなかでわたしはそんなことを考えていた。とにかく凄まじい成り行きである。

一呼吸置いて「距離感がむずかしいですね」と返すと、そのあたりから言葉がしだいに重くなっていった。

「Oさんの話を聴いている時点でたぶん、おかしくなってましたね。彼自身もわたしと同い歳の娘さんと奥さんを亡くしているので、どこかでリンクしているところもあって……」。「ちょっと《共依存》みたいな感じ？」と躊躇いを交えて訊き返すと、口調が急にゆっくりとなり、小さく洩らすように「……たぶん、なっていた」と言う。「あのときはたぶん、おかしかったとおもいます」。暮らしをともにしてきた小森はその一部始終を傍で見て知っているはずだが、このことには一切口を挟もうとはしなかった。

それでも瀬尾は、陸前高田のこの二年を知らないわたしに、とりあえずは写真館の日常をわかりやすく話してくれた――

「写真館ではこの七月に店員としてすべてを委されるようになりました。ここの業務はほとんどやっています。ここでの仕事自体はピン・ポイントでおもしろい。証明写真を撮りにくる人ひとりとってもすごくナイーヴな事情を抱えていたりするし、遺影をつくってくださいと来てくれる人の話を聴いているだけでもOさんの仕事をたしかに引き継いでいる気がする。Oさん自身はこのまちの記録の番人というような意識がすこぶる強い人で、三十年以上このまちの写真を撮り続けて、アルバムつくって、それこそお宮参りから遺影までずっとつくってきた人なので、わたしがまちの記憶にふれるために彼はすごく大事な人です。学校に行けばいまを生きている子どもたちとも話せる。学校というのは閉じているのであまり話も外に出てきませんが、親を亡くした子どもたちもいるので先生もめちゃめちゃ気を遣っていて、先生に言葉で守られたりしているんですね。だから、こういう現場感のあるところにふれさせてもらっているのはおもしろいというより、すごく刺激が強い……」。

Oさんが震災後始めた仕事を引き継いでいるということだが、彼が撮ってきた写真で流されたものを遺影にするといっても、さらには卒業アルバム用の写真を編集するといっても、震災前の土地の佇まいは想像するしかないし、知らなかった生徒の顔を覚え、運動会だけでも何千枚とある写真のなかからそれぞれ何度映っているかを計算しながら整理するというのも並大抵の作業ではない。それにOさんとの抜き差しならない関係も越えて、看病が折り重なる。病院を抜けだしてOさんが見たい映画にいっしょに行くこともある。それについて瀬尾は、「彼が亡くなる前にとにかく、彼が残した写真をぜんぶ編集して、アップしてみせなきゃという思いだけでずっとやってきた」と言う。

そうして――

「言い方は悪いかもしれないけれども、やりきりたいというところがあるような気がして……」

「逃げるのがいやなのかな？」

「頑固なんですかねえ、わたしが」

「抜き差しならないことになりそうとわかっていてやりきるというのは、意地みたいなもの？」

「なんていうか、わたしは表現するためにここにいるし、何かを形にしたり、何かを受けとめてそれを描きためていくのが仕事だというのがすごくある。Oさんとはわからない描き方にするとしても、きっと描くとおもう。そういう距離感というのかな、じぶんでもすごくずる賢くていやだなとおもうところはありました。人間的じゃないというか非道な感覚もありつつも、でもじっさいに彼との関係は、彼もわたしをすごく必要としてくれているし、わたしも彼にすごく興味があるし、やっぱりやりきるんだという感じでいました」

「表現って言葉がぼくにはまだしっくりこない。だって、じぶんを表現したいだけなら、ここからは危ないなとおもえば引き揚げればいいわけでしょ？　たとえばじぶんのファンタジーの世界に。でも、瀬尾さんは入っていくでしょ？」

「そう、ガンガン入っていく」（笑）

「表現よりもっとすごい、怖ろしいことをやってるという気がしない？」

「うん、するとおもいます。だって危ないもん。危ないのわかってしています」

……

インヴォルヴメント

小森はるかと瀬尾夏美。二人は違いすぎるくらい違うのだそうだ。どんな場面でもなんだかいつも役割が違って、と二人は口を揃える。「瀬尾と来たから考えられたことがかなり大きい」と小森は言う。「倒れずにすごいな、気だけでもっているんだ」とおもいつづけてきたとも。瀬尾は瀬尾で、「いらいらしてるというのはおたがいわかるし、いつも「はあ」とか言って、すうっとフェイドアウトする感じで」と言う。

これからのことを訊いた。それまで瀬尾とわたしの問答を黙って聴いていた小森が、こんどは先に切りだしてくれた——

「わたしはいまの映画をつくったら、すこし表現というものから離れようかなとおもってています。もうちょっと職業としてじぶんが映像を用いてなにか伝える仕事をやってみようかな、と。だからたぶん就職します。ドキュメンタリーのテレビ番組とかをつくるのを、役割《パート》としてやってみたいんです。テレビというのは人がたまたま偶然に観たりするもんだし、そのときにぜんぜん知らないおじさんの日常みたいなものが映って、それをまたぜんぜん関係のないおばちゃんが居間で観るっていうことが起こる……。それをヘンだなとおもいながらも、そういう日常に偶発的に起こっていることのなかで何かが伝わるみたいなものにかかわってみようかな、と」

瀬尾はしばらくその場所に身を挺しつづけるだろう。その一方でじわじわと、まるで古《いにしえ》の中国の文人のように、言葉と絵のスケッチを始めている。

陸前高田への滞在は当初の予定の一年を優に超え、彼女たちはここからの出て行き方もどこか心のうちで描きはじめている。日々の務めはしっかりすぎるくらい果たしつつ。

インヴォルヴメント。みずからを何かに巻き込んでゆくこと。

小森は、社会のなかであるパートを担う活動に身を置こうとおもっている。パートといえば、なにか分割され、切断された業務というイメージがある。だからその業務は特殊な訓練を必要としないといった……。小森が思い描くパートはそれとは違うとおもう。それは切り刻まれた業務のことではなく、行動をともにする一団のなかで受けもつ「持ち分」といったものだろう。揺れ動く全体のなかでじぶんの作業がどういう意味をもつかをつねに意識しているような働き方と言ってもよい。パーティションでは（分割）ではなくパーティシペーション（参加）という、どのパートを外しても全体は成り立たないという、パート・テイキングのかたちだ。そういう場所に身を置こうと小森は考えているようにわたしには見える。

一方、瀬尾は、抜き差しならぬ場にじぶんを置き、ずぶずぶのヴァルネラブル（傷つきやすい）な場所にいましばらく身を挺しつづけるのだろう。どうしてこんな苛酷な場所にじぶんを追い込んでゆくのかという思いが、わたしにはある。「ちょっときつすぎない？」と訊きたくもならないではない。でも、そんな案じを凌《しの》ぐくらいに彼女は芯が強い。

ハンドルを握ることが億劫でないところ以外は、二人はどんな場面でも違う役を引き受け、それも違う仕方でこなす。とことん対照的である。が、二人が共同生活をしながらインタヴュー取材を続け、それこそアート未満の場所で、しかもアートの地底を触診する作業をしつづけられているのは、二人が血縁とか地縁とか社縁といった利害をからませない「無縁の縁」から出発して、最初から最後まで、ユニットとして「第四の縁」を維持しつづけられたからだろう。ユニットとしてのこの関係にはたしてどのような《未知の社会性》が兆《きざ》しているのか、いまはまだ確定できないが、生きるということの生地そのものが損なわれた被災地に身を置いてそれでも「アート」への問いを手放さないためには、独りの身ではとてももたないほど情況は苛酷であったということなのだろう。

世界が世界として意識されるときには、あらゆるものがまずは「何かとして」現われてくる。いかなるものも「何かとして」ある。それとともに、（とくに現代では）世界はつねに「だれかのものとして」ある。地上のすべてのもの、すべての空間が「だれかのもの」とされ、それこそ一ミリ単位でその所有の権利が争われる。

アートについてももちろん例外ではない。アートは、そしてその「作品」は、「美」であれ「創造」であれ「表現」であれ、固有の価値をもつもの、他の諸価値とは異なる価値を体現するもの（財）として切りだされてきた。同様に、かつてたとえば「美術品」は、王の、貴族の、ブルジョワの、コレクション（私的蒐集物＝所有物）としてあった。さらに時代が下って、それらは、一方で市場で商品（私的な財）として流通し、他方で国家や自治体が「文化財」（公共の財）としてその保護を認可するというかたちで収蔵されるようになった。現代では、アートがアートという固有の価値としてあるその理由もしくは根拠への問いかけ――それは「作家」とか「作品」という概念をも俎上にのせる――とともに、そもそもアートはほんとうに「財」なのか、アートが「財」であるというのは、いいかえるとそれが私的であれ公共的であれ、交換も譲渡もできる所有物であるというのは、制作されたものを廃棄可能（disposable）なものとして貶めるものではないかという問いかけが、「創造」という行為に相当に深く浸潤するようになって久しかった、はずであった。

ところが、東日本大震災は、そのような問いの前で逡巡することを許さず、少なからぬアーティスト（あるいはそれを志向する人びと）を一気に原型の問いにまで連れ戻した。無認可の創造行為でさえあれば、制作物をなんでもかんでも「アート」へと回収することの問題性、そしてそれら制作物が「芸術作品」として価値のみならず価格において規定されること、この二つががらがらと崩れる場に、あの震災は「アーティストの卵」たちを容赦なく放り込んだ。アートとは、世界が壊れるかもしれないという不吉な予感のなかで立ち上がるものだ、と考えればあたりまえのことではあるのだが。

この時代にアーティストであるとはどういうことか。このまっとうすぎる問いを、小森はるかと瀬尾夏美は無骨にも素手で問うている。ふわんとおおらかに、けれどアートの地底を素手でさぐり、触診するその姿に、わたしは、できあがった「芸術家」よりもはるかに深い試みを見た。

3　強度　志賀理江子の〈業〉

彼女の津波

「自己表現」を消すことで、もっとも過激な表現行為に出たひとりの女性について語りたい。それもまた、たまたま東北という地で目撃した表現を。その人の名は志賀理江子。あらかじめ断っておけば、「志賀理江子の〈業〉」という副題には、その人が「みずからの仕事としてきたもの、ないしは技《わざ》」と「彼女の宿業のようなもの」という二重の意味を込めている。

志賀理江子については、すでに「1「社会」の手前で」でその発言の一部を引いた。「この美しい松林と海は、幻想やファンタジーではなく「社会」だったのです」という文章である。「社会」という語がこのような文脈で立ち上がってくることに、わたしはひどく戸惑い、そして驚きというよりも畏れに近い感情を抱いた。そこでも引いたが、彼女はこの「社会」を次のようにも表現していた――

「……芸術に社会性があるのではなく、芸術が根を張る場所が社会だからです。そのべースとなる社会とどう結ばれているかが「作品」にとって重要なのだと思います。「社会」とはたったひとりの人という意味でもあると思う。でもこのことはいますぐにわかる話ではないのです」

その「いますぐにわかる話ではない」ことを、これから彼女の言葉、彼女の写真とともに考えてみようとおもう。

志賀は愛知県で育ち、十九歳のときに渡英し、ロンドン芸術大学（ニューメディア専攻）で学んだ。卒業後、帰国してからしばらく東北地方に拠点を索《もと》め、方々を歩きまわったはてに、ある日、宮城県名取市北釜地区の海沿いにある松林のなかにそこだけぽっかりと空いた一角を見つけ、仕事場を構えるならここしかないという天啓のごときものに串刺しにされた。何か暮らしの糧を得る術があるわけでもなかったので、まずは近くに住む村人たちにかけあい、村の記録写真係という仕事をもらって、二〇〇八年の冬からそこに住みついた。以後、村の寄り合いや恒例の伝統行事などの様子を写真で記録したり、頼まれて葬式の遺影用写真を撮ったりしながら、空いた時間は村人たちの話を聴いて回った。村の人たち（ほとんどが高齢者である）から村のこと、その人のこれまでの人生について、ひたすら「聴く」という作業に没頭したのだ。そして三年経ったところで、あの三月一一日の津波に村ごと襲われた。その日仙台市で激しい揺れに遭った志賀は、すぐに北釜に戻るべくクルマを駆ったが、途中津波の飛沫《しぶき》がフロントガラスに降りかかったところで急旋回し、「まるでカーチェイスをするかのように」仙台市方面へと疾走したという。この日の津波で、工房も家も村ともども流され、その後は村人たちとともに避難所に暮らし、次いでやはり村人たちとともに仮設住宅に移動した。そしてそこから北釜へと通っては、あちこちに散乱する村人のアルバムや生活備品を集め、公民館で洗浄する毎日が続いた。

北釜はおよそ百世帯、人口四百人近くの集落である。住民の平均年齢は六十歳以上。あの松林に仕事場を構えるために、志賀はなりふりかまわず村人の家を訪ね歩いた。わたしが志賀にはじめて会ったとき──二〇一二年一〇月一二日、《螺旋海岸》という展覧会の準備作業にあたっているさなかである──、その頃の毎日を彼女はこう語った。「みなは、北釜によほど縁があったんだねって言うんですが、違うんです。わたし、かなりグイグイ交渉したんです。心の底から、どうしても北釜に住みたかった。実家の近所なんかにいたら絶対にかかわりたくもないすごく嫌な人とかもいるんですが、でも全然嫌じゃなかった」。というのも、じぶんが心奪われている「この松林という《イメージ》と全身全霊でつながりをもてるのかどうかが試されている」と感じたからだと言う。

また、美大生から「写真屋」への突然の転身も、彼女にすればかなり新鮮なものだったらしい。写真での「務め」、それは「役を割り当てられる」というはじめての経験で、「何かの役に立つことが半端なくうれしかったし、役割を与えられて、することがあってここにいるという、いってみればじぶんが許されたような感じもあった」と言う。それと並行しておこなった高齢の村人たちへの聴き取りも、どれもがこれまで聴いたことがないような話ばかりで、家に帰れば録音させてもらったその語りや教えてもらった昔話をひたすら書き起こした。

そんな日々のくり返しのさなか、あの大津波が襲ったのだった。先にもすこし述べたように、彼女は被災後、村民と行動をともにし、「撮る」ということに関しても、完全に村の「写真屋」として対応している。つまり、みずからの務めとして、流れちりぢりになった写真を拾い集め、洗浄し、被災後の住民のために証明書用の写真も撮った。避難所での困難な生活と、「写真屋」としてのそうした行動のかたわら、頭のなかでは〈撮る〉ということへのゼロからの問いなおしもまた渦巻いていた。じっさい、震災三カ月後の二〇一一年六月には、せんだいメディアテークの主宰する《考えるテーブル》でみずからの制作について「連続レクチャー」を開始し、翌年三月まで十回にわたって続けた。震災後、不特定の人たちの前で、いわばむきだしで、じぶんが何かを撮るそのことの意味について語りつづけたのである。そしてほぼ一年置いて、展覧会《螺旋海岸》（会期は二〇一二年一一月七日から翌年一月一四日まで）が開催され、同時にそのレクチャーの記録が『螺旋海岸｜notebook』として刊行された。

その本の末尾に見つけたのが、「この美しい松林と海は、幻想やファンタジーではなく「社会」だったのです」という衝撃の言葉であった。なぜ松林と海が〈社会〉なのか。同時に、彼女は「「社会」とはたったひとりの人という意味でもあると思う」とも言っているのだが、「たったひとりの人」がなぜ〈社会〉なのか。

展覧会の準備作業が極点にさしかかろうかとしている一〇月一二日、わたしは仙台市内の古風な喫茶店で彼女から話を聴く機会を得た。そしてその二カ月後、ふたたび仙台を訪れ、《螺旋海岸》展を観た。彼女が〈社会〉ということで何を考えているのか、とにかくそれを知りたかった。それはきっと、わたしがこれまで〈社会〉を考えるうえでほとんど想像だにしなかった回路であろうとおもわれたからだ。それほどにわたし自身が、〈社会〉についてなにかこれまでとは別の思考回路を必死で探っていた。だから、彼女の〈社会〉については、これから、ときに迂遠なまでに慎重に、解きほぐしてゆかざるをえない。

志賀理江子の〈震災〉、それは彼女にとって「恐怖の限界をはるかに超える」ものだった。被災時の様子を、友人たちに宛てた「四月五日　心配してくださったみなさまへ」と題するメールのなかでこう語っている——

あの日一瞬だけ、時間、生、死、感情、物の価値などが崩壊して、そこにあったすべてが見渡す限り真っ平らになった。そして大雪が降って真っ暗な夜になりました。ラジオで沿岸部では数百人の遺体が見つかったと知り、ここから約八〇キロしか離れていない福島第一原発の事故の状況が繰り返し流れるなか、揺れつづける地面の上でいろいろなことを覚悟した。私は体がはち切れたようで、あらゆることに違和感を感じなかった。けっこうどうでもいいことが次々頭に浮かんできて、体というのはこういうものかと思った。〔……〕

震災の夜、幼い頃から日常の生活のなかでずっと感じていたある種の違和感が、突然なくなった時間がありました。それは見渡す限り真っ暗で、あらゆる価値がキーンと真っ平らになったような世界で、むちゃくちゃ怖かった。もともとの社会がどう機能していたかにかかわらず、私が体験したのは、一瞬でもそれらが直接的に破壊され崩壊するとこうなるということでした。私はその「違和感がない」世界を、写真の行為によってずっと求めていたのではなかったのか。でも震災の夜の、恐怖と吐き気だけという最悪の気持ち悪さによって見事にその大きな隔たりに気づかされたのです。それでも私は、あの真っ平らで真っ暗な夜を尊い時間として忘れたくないと思った。たくさんの死んでしまった一人ひとりの最期の時間のことを考えてパニックになりながら、そのときは自らに誓ったと思う。でもそれよりももっと大きなものがその後に押し寄せてきて、それはまるで時間が巻き戻っていくようにあらゆる価値が、その均一な世界からぶわっと噴出して自分を圧倒していったことです。だからあの夜はどこにつながるのだろうかといつも探している。

（『螺旋海岸｜notebook』）

日常の表面にべったりと貼りついた覆いのような物語を引っ剝がすこと、それをこそ望んでいたはずなのに、「恐怖と吐き気だけ」の暗闇からどどっと噴き出してくる得体の知れない「価値」のようなもの、その胎動に彼女はおののいていた。それが何につながるのか、見当もつかなかった。それにしても、幼いときからずっと感じていたのにそれが突然なくなったというその違和感とは、はたしていかなるものだったのか。

身体に負荷をかける

志賀が北釜にたどり着く前に、時間をいったん戻してみようとおもう。「私にとっての「写真の行為」という衝動の奥には、そもそも今日明日をどうにかもちこたえて生活していくために必要な、切実な理由があったと思います」。そのような言葉で、彼女は連続レクチャーを始めている——

私は一九八〇年に愛知県岡崎市の住宅地で生まれ、育ちました。ものごころついた頃にはすでに、壁のスイッチを押したら部屋をいつでも明るくすることができて、蛇口をひねれば温かいお湯がたっぷり出てきて、自分の排泄物はレバーひとつで自動的にどこか知らないところへ流れていくような生活ができあがっていた。原始的なはずの自分の体は、そういうところにいきなりボンと存在し始めた。人間が「生活」していくためにはもともと重労働が必要だったはずなのに、私はただぼーっと毎日の生活に知らず知らずのうちに埋もれていたのです。それは「便利な生活」という強烈な違和感だったのだと思います。幼い頃によく感じていた「見えるもの全部嘘かもしれない」「お父さんもお母さんも張りぼてかもしれない」「この壁の先は何もないのかもしれない」という感覚はどんどん膨れあがっていった。本当になにも存在しないかもしれないという切羽詰まった感じだったから、心の底からたしかに信じられるものがどうしても必要だったんです。例えば走って「ハァッハァッ」って息をしたときの苦しい感じとか、思い切り叫んで息が続かなくなる寸前のしびれとか、腕の皮膚をつねったときの痛みのように、体が直接的に反応するような、負荷がかかっている状態にハマっていった。そうすると精神がすごく静まるんです。私はそういう感覚の直後に得られる「穏やかな」気持ちを求めていたんですね。だから、なにもしないでただ家の中にいると無意味に暴れだしてしまうような気がして、意識的に体を激しく使う運動や踊りや歌に夢中になっていた。その頃は、生活環境と体で駆け引きをしていたと思います。

けれど思春期になると、体そのものがおとなのつくりに変わっていってしまう。たくさん走っても鼓動が、体の隅々まで、指の先や爪の先端まで、もういきわたらないんです。太ったりとか、始まるものも始まったりとか。「もっともっと」というよくわからない欲望のような圧力が私にのしかかってきて、いままでと同じ負荷では満たされなくなってしまった。自分の体が手に負えなくなって、つまりは自意識過剰になって体が体から離れていってしまった。気づいたときには体そのものよりもそれが写る鏡のほうを信じ始めていたんです。写真と出会ったのはそんな頃で、両親のオートフォーカスのコンパクトカメラを使って目の前の現実を自分の好きなように、おもしろいように支配できてしまう感覚に興奮して熱中し始めたんです。カメラを携えてどこかに出かけていってなにかを見つけて撮って帰ってくる、ということは一切なくて、自分の部屋の中で「物」とか「友だち」を自分が気に入るように細やかに配置してきれいな光を当てて、「パシャ」って撮るのが好きだった。それでできあがったものを見つめて酔いしれていました。どんな仕組みなのかもわからない「カメラ」という機械だったけど、これさえ使えば目の前の現実がその瞬間は思いどおりになる。この気持ち悪い体から、運動することよりも遥かに確率が高く抜け出せて、自分が思い描くイメージの世界へ飛んでいけるって思い込んでました。（同前）

この発言には、〈ある〉ということの、錯綜した多くの困難が凝集されている。〈わたし〉とまわりの物との関係が不可視のシステムに媒介されているということ、だからまるで離人症の患者におけるかのように世界からリアルな存在感が脱落してしまうこと。いいかえると、時を貫いて〈わたし〉がおなじ一つの存在であることも、物がそのつどの見かけに尽くされないある実質をもっていることも、ともに時間という契機によって相互補完的に成り立つこと。異なるさまざまの現われがおなじ一つのものの現われであることは、たえず推移する時間がおなじ一つの連続する時間であることの了解によって裏打ちされていなければ成立しえないからである。

こうした事態に拮抗するためには、「ハァッハァッ」と息が切れるくらいの、等量もしくはそれ以上の負荷をみずからの身体にかける必要があること（自傷というのがその負荷の極限かもしれない）。しかしそれは、何ごとも思いどおりにできるという横柄な万能感へと反転してゆくことがあること。

そしてじっさい、はじめてカメラを手にしたとき、志賀は眼前の現実を思いどおりに構成しなおし、支配する、そんな感覚に酔いしれた。物も人もことごとくじぶんのイメージどおりの世界に引きずり込む「ガチガチの構成写真」を撮っていたとふり返る。「構成」的というのは、別の圧倒的なリアルをみずから仮構することである。外部世界のこうした「制圧」（これも志賀自身の表現である）は、イメージとじぶんの身体とを隔絶することではじめて可能となる。写真というのは、イメージをもろもろのシステムによって組み立てられた世界から、ひいてはそこに組み込まれている身体から、自己を外すうってつけの媒体だった。絵を描くときなどは「自分の手から直接線が描かれたり、なにかに触りながら形ができあがっていく過程に対して、指先に力が籠りすぎて気持ち悪くなってしまう感じを覚えて、つまり生み出されるイメージと自分の体が近すぎて、その距離感に耐えられないような気持ちになってしま」うが、世界とのそんなぬめった関係から抜けだすのにカメラは格好の道具だった。スイッチ一つ、レバー一つ動かすだけでものごとが整ってしまうそんな「便利な生活」の居心地の悪さが、わざわざその穴埋めをするかのように身体を酷使しつづけなくとも、写真を撮るという、イメージをいわば暴力的に世界から隔絶する行為によって制圧できるかのようだった。「幼い頃からずっと抱えていた違和感から生まれてしまった手に負えないなにかを、写真の行為で処理していたと思う」と、彼女自身も語っている。

(ここでわたしはふと連想する。こうした支配感は、幼くして消費主体として成熟している現代の子どもたちの異様なまでの万能感にも通じているにちがいない。もちろんその万能感は脆弱《ぜいじゃく》なものであって、それが得られないとき子どもは無残なほどたやすく無能感へと突き落とされる。万能／無能という両極へのこのぶれは激しい……と)

隔たりということ

志賀はそういう写真とのつきあいを「ナイーブで危険だったと思う」というふうにふり返っている。ただ奇妙な言い方になるが、暴力的だから危険だったのではなくて、逆に暴力的でなさすぎることが危険だったのである。彼女がわたしに向けた言葉はこういうものだった。——「写真のなかに潜む暴力性に見合うほどの負荷をみずからの身体にかけていなければ、カメラを使ってこんな表現をすることが自分では許せないようなところがありました」。身体に負荷をかけることがすくなすぎること、それを彼女は許せなかったのだ。

生半可ではないそうした激しさに、わたしはじつは先にもうふれていた。『CANARY』という二〇〇七年一二月に刊行された作品集（赤々舎）と、『カナリア門』という二〇〇九年一〇月に刊行された文集（同）においてである。『CANARY』という作品集は、とっちらかりの食後のテーブル（中央の大皿にはなんと裏返った白蛇が添えられている）やビニールにくるまれた犬らしきものの死骸、皮を剝がれた熊の頭蓋、舞い上がる火の粉といった、おどろおどろしいシーンが満載で、幾葉か見ているうちに次の頁をめくるのが不安になる。すさまじいまでにピクチャレスクな構成性、悲鳴や炸裂音が轟いていそうなただならぬ気配、そして刺すような毒性。とにかくその激越さに煽られた。日常を覆う膜を引き裂き、かき混ぜ、ずたずたにしたいという強迫が、そこには漂っていた。

いくつかの撮影シーンを取りだしてみよう。

・ミンククジラの解体作業を見たあと、それと等量の水をヴィニールで包み、そして地面にぶちまける。水族館でも床に水をぶちまけ、それが蒸発してゆく様を見つづける。

・高校生五十名の頸《くび》から下を大きな黒い布でくるみ、顔だけ出して被写体になってもらう。

・自然史博物館でカンガルーや馬、牛、蛇、コアラ、人間などの頭蓋骨の写真を撮ったあと、それらの部位を少しずつ重ねあわせた未知の頭蓋骨の図面を作り、一辺が数メートルはあろうかという発泡スチロールの塊からそれを彫りだしてゆく。そして知りあったばかりの女性に「骨は裸だから」と服を脱いでもらい、恋人のようにそれに寄り添ってもらう。

・道すがら気になっていた家を突然訪問して撮影をお願いし、その一部屋にあった羽根枕を切り裂いて、羽毛を宙に舞わせる。

・彼岸の時期にある寺を訪ね、墓に供えられていた花々が棄てられるときにそれらをすべて回収させてもらえないかと頼み込み、トラックに積み込んで近くの山に向かい、山中に穴を掘って埋め、そこを撮る。

・友人と居酒屋で大量に食べて飲んだあと、白蛇（ゴム製の蛇をペンキで白く塗ったもの）に刺身のつまを添えて、中央の大皿に盛って撮る。
・取り壊し予定の家屋を見かけ、家主に頼み込んで、建物をピンク一色に塗らせてもらい、それを撮る。
・マタギについて山奥に入り、撃ち殺した熊の皮を剝いだぬるぬるの頭を撮ると、まるで母胎から取り出した直後のそれのように写り、その美しさに陶然となる。
・麻雀会館を訪れたとき、「男が天井を仰ぎながら椅子の背もたれを倒し、エラ呼吸をする魚のようにたばこの煙を吐いて」いた。その情景を後日、男の身体の傾きをさらにはなはだしくして再現し、撮る。
・友人と連れだって行ったレストランを後日貸し切りで予約し、その日とおなじ料理を食する友人の頭のまわりに手作りの蠅を無数に飛ばせて、それを撮る。
　ざっとこんなぐあいである。偶然に遭遇し、目撃した光景を、その場で、あるいは後日、再構成して撮る手法である。多くの写真で周辺部には闇が迫っている。

　撮影時の状況を記した『カナリア門』では、冒頭にマニフェストよろしく次のような文章を掲げている。

撃たれて死ね。

印画紙が証拠品となる。プリントされた像は生ものであるかのごとく臭気を帯び、目の前に立ち現れた。この世の時間軸が写真側にあるとすれば、私は全くその圏外にいて、〝現在〟という宙ぶらりんで摑むことができない不確かなものから逃れようと、その確かに存在する軸への手がかりを必死に探す。

撮影の際、偶然を引き起こす仕掛けを自ら作り込み、なおかつ自分が意識的に持つビジョンのコントロールを失うべく、予測不可能にカメラに撃たれることを待っている。写真を撮る『shoot』＝撃つ、殺す行為だとしたら、それは逆に撃たれる意味であり、殺す行為で蘇生してしまう時間がある。被写体や光景との出会いの段階、またはそれ以前で既に写真を見ている。撮影以前に存在する時間が圏外にある私を撃ち、蘇生する。

身体は媒体でしかない。カナリアを腹の中で飼っていた。

偶然に出会った光景のあらためての再構成、その再構成の作業にさらに偶然が作用するのも拒まない。〈わたし〉のなす恣意的な構成をこの偶然によって封印し、さらにこの偶然をも撮し込んだ写真によって、撮られた現実の世界も撮る〈わたし〉をも解体する？　写真というイメージが立ち上がるとはそういうことなのかもしれない。それは、推移する生の時間のなかに柔《やわ》な、しかし執拗な（共同の？）物語が埋め込まれ、その物語に生の推移がそっくり沿わされてゆくことへの苛立ちからくるようにおもわれる。志賀は別の箇所で、写真を絵本になぞらえてもいる。「物語の完全な停止が絵本にはあった」、それと比べれば（テレビを見るときがそうだが）「連続した画像に身を委ねる」のは安楽なことだと、吐き捨てるように言っていた。とすれば、志賀は世界と隔絶しているときのその「遠さ」の甘美よりも、ほんとうは世界とのぎしぎし軋む摩擦やそれによる裂傷のほうにこそ向かっていたといえる。いいかえると、物語を機能停止に追い込むこと、かわりに皮を剝がれた肉体を写真とともに立ち上がるであろうイメージのなかに深く挿入すること。彼女は、かつて世界に拮抗するためにおのれの身体にかけていたその負荷を、こんどはシャッターを切るまでの準備過程へとかけ換えたのだ。

とすれば志賀にとって撮るという行為はもはや《表現》なのではない。内的なものを外に押しだす（ex-press）試み、内的な衝動の表出といったものではなくて、なにかたぐり寄せるべきもの、手を突っ込んで摑みとるべきものだということになる。物語の停止とはおそらくそういうことだ。としたら、彼女の写真を前にして、そこに何か一貫した意味を読み取ろうという解釈のいとなみは、徒労に終わるほかない。彼女自身、おのれの行為を、もっともっと不可解なものへと、非意味のほうへと押しやろうとしているはずだ。だから構成された写真群がいずれもフィクションであることを隠しもしない。

リアルよりもはるかに強度の高いフィクションをめがけているにしても。

ここでふと、彼女の写真行為に《愛撫》という観念を重ねたくなる。というのも愛撫こそ、この距離をとることとそれを抹消することとの危うい拮抗のなかでなされるものだからだ。愛撫とは相手の身体、とりわけその表皮に触れることへの欲望としてある。他者の身体に触れるということは、それと接触するということとおなじではない。往来でぶつかったり、満員電車で押しあいへしあいするときにも、たしかに衝突や蝟集《いしゅう》（＝密着）というかたちで接触が起こっている。愛撫はそうではなくて、まさぐるという行為である。何かに触れるというのは、その何かをそっと、しかし確実に摑み、そしてそれを注意深く、かついとおしくまさぐるという行為のなかでしか起こらない。押したり引いたり、ぐっと握りしめたりそっと撫でたり、腫れ物に触れるかのように優しく掌に包み込んだり、語りかけるかのようにとんとんと突《つつ》いたり……と、腕が、指が、状況に応じて力を込めたり緩めたりというふうに柔軟に対応しえないと、物との衝突という事件が起こるだけで、触れるという経験は起こらない。ある隔たりを置いた対象への関心というものがなければ、ひとは物に触れることができないのだ。

ジャン・ブランが書いていたように、「手はそれ自身が触れられることなしには触れることができない」（『手と精神』中村文郎訳、法政大学出版局、一九九〇年）。触れるということは、その意味で、何かに触れることでみずからに再帰的に触れ返すということでもある。つまり、触れるというのは、物あるいは他者の身体を経由した《反射》、つまりは送り返しの行為である。とすれば、愛撫とは、触れることにおいて生まれるそうした自己への送り返しのあくまでその手前で、接触という、距離の消失それじたいのうちにずっととどまっていたいという欲望だということになる。が、いうまでもなく距離の消失はまさぐりそのものを不可能にする。隔たりなしには、まさぐりという行為は起こりえないからだ。距離の消失を希《ねが》いながら、その距離の消失において触れるということじたいが不可能になる、そうした二律背反とでもいうべき焦燥のなかで、愛撫はつねに立ち往生してしまう。そのとき、まさぐるという行為のなかに孕まれていた距離は抹消されるべき隔たりとして意識されるほかない。そして距離が消失したとき、起こるのは衝突という出来事である。すべての接触が衝突でしかなくなれば、世界からしなやかさや柔軟さ、しなりや空《す》きもまた消え、世界はガラスのように鞏固《きょうこ》ではあるがとても脆いもの、割れやすいものとなる……。

世界のまさぐり（愛撫）という、僥倖というか、成就の原理的にありえないこの行為に、志賀は挑んでいるように見える。そのタイトルがカナリア（CANARY）であったこともこのことを裏書きしているようだ。志賀自身『カナリア門』のなかで注記しているように、カナリアは一酸化炭素にきわめて敏感な生き物で、しかもなんと人間の七倍の速さで呼吸している。そのカナリアはかつて鉱山で毒ガスの発生を察知する役をさせられ、カナリアが苦しみだしたらそれが採掘者への避難の合図となったというのだ。その意味で、カナリアとは、《愛撫》という、世界と〈わたし〉とのあいだの張りつめた極薄の臨界での出来事の隠喩としてあったことになる。

〈社会〉がせり上がってくる……

『CANARY』という作品集に載せられている写真群は、二〇〇六年に仙台とブリスベン（オーストラリア）とシンガポールとで滞在制作をおこなったその期間に制作されたものである。制作のために事前リサーチとして、志賀はそれぞれの地域住民に共通のあるアンケートを実施した。「自分の住む地域で、個人的に感じる〈明るい場所〉と〈暗い場所〉はどこか？」と質問したのである。返ってきたおよそ五百件の回答をもとに地図を作り、そしてそれぞれの場所で撮影に入る。彼女は言う。「その旅のなかで、たくさんの人々や光景に出会い、目の前で起こったあらゆる出来事を自分はいかなる目で見つめ、どのような態度をとり関係を結んでいくのか。その状況を仮想し、実験のように撮影を行う。そうすることで、どうしたらまっすぐにその社会の現実と向きあうことができるのか、わずかながらも手がかりを見つけることができるかもしれないと思った」、と。

松林と海を、そして「たったひとりの人」を、それが〈社会〉だと言い切るようになる以前に、すでにここに〈社会〉への視線が浮上している。ところがそのすぐ後に、志賀はこう書いてもいる――

この世の極限たる状況など体験しておらず、妄想がつのるだけ。そこに触れたい、もしくは触れたつもりになり錯覚を起こしていなかったか。自分の腹の底にある本当の感情を知ること。それは、自分が今生活する社会に対する「告白」のようなものだったのかもしれない。（『カナリア門』）

「10階建ての建物ほどの巨大な車輪が高速で回転し、そこに蜘蛛の巣のような細い一本の糸が巻かれてゆくのを立ち尽くして見ている」夢にうなされる志賀である。光景がさまざまの偶然をも畳み込みながら「私を貫いた」、その一瞬にシャッターを切る志賀である。それを「社会に対する「告白」」だとためらいがちに語りだす志賀はしかし、『CANARY』の先の手法どおり、未だ光景に君臨する撮影者（＝狙撃者 shooter）だった。《愛撫》という、あの、世界と〈わたし〉とのあいだの張りつめた極薄の臨界での出来事、そこに他者は居あわせてはいなかった。撃たれる対象としては登場しても。

そんな彼女が『CANARY』の撮影を終えてからなぜ東北の地を彷徨《さまよ》ったのか？　それがわたしの疑問であった。じっさい彼女はわたしに、「2　巻き込み」で引いた瀬尾夏美の、じぶんの記憶を「ほじくる」ちまちましたアートという表現にかぶせるかのように、「そんなの、自分の傷を癒しているだけじゃん」と言い切った。彼女はじぶんが索《もと》めているものがさだかではないまま、しかしついにじぶんを外すことだけはしなかった。そして、「いま自分の目の前に大きなわからないものの塊が浮いているような感じがある」と言った。

それが志賀にとっては〈社会〉というもののせり出しということだったにちがいない。ある光景が「私を貫いた」といえるその光景のなかに、他者たちがせり出してくること。それにしても、「『社会』とはたったひとりの人という意味でもあると思う」と語りだした志賀が「たったひとりの人」であるために〈他者たち〉を必要としたというのはどういうことだろう。

その瞬間は本人も思いもよらないかたちで訪れた。北釜の海沿いの松林のなかに見つけた小さな空き地、そこをなんとしても仕事場とするために方々手を尽くすなかで起こった。それは、万能感と無能感のあいだの空白地帯を埋める小さなかけらたちであった。食べるあてもなかった志賀は、村人との交渉のなかで、思いがけなく「記録係」としての仕事を与えられる。専属カメラマンとしての新しい「務め」、それは（先の引用をくり返せば）「役を割り当てられる」というはじめての経験で、「何かの役に立つことが半端なくうれしかったし、役割を与えられて、することがあってここにいるという、いってみれば自分が許されたような感じ」であった。「写真を撮るということがなにか全然違う場面でじっさいに何かの役に立つということは、半端なくうれしいことでした。「ええっ、こんな喜んでもらえるなんて、こんなにありがたいことはないな」って思っていました」……。

たとえば二〇〇九年、彼女が撮った一年の記録を見ると次のようになる——

一月一四日　下増田神社どんと祭（正月飾りを持ち寄り、お祓いして焼く）
二月一五日　下増田神社神明講（神明様を祀る講）
三月一日　町内総会（前年度の事業経過報告ならびに収支決算報告、新年度の事業計画案と収支決算案）
四月一九日　下増田神社春の例大祭（お祓い）
四月二一日　観音寺護持会総会、春の弘法講（お寺の総会）
四月二六日　環境保全協議会（こどもたちと花の種まきをする）
六月二七日　おさなぶりの夕べ（下増田商工会が主催する歌謡ショー）
八月七日　観音寺棚経（お盆の施餓鬼供養）
八月九日　北釜町内会清掃、草取り（四月、六月、九月にも一度ずつ）
八月九日　名取市消防ポンプ操法方法伝達講習会（北釜の参加は三年に一度）

八月一九日　青年部主催北釜夏祭り（盛大に夏を祝う、花火や屋台やカラオケ、相馬盆歌で踊る）
九月六日　下増田地区大運動会（下増田公民会主催の下増田小学校と地区民の交流運動会）
九月一五日　北釜敬老会（長寿を祝う会）
一〇月三日　下増田神社秋の例大祭（お祓い）
一〇月一一日　健康祭り収穫感謝祭（集会場のグラウンドで運動会と芋煮をする）
一一月一二日　秋の大師講（ご詠歌）
一一月一五日　下増田神社神明講（神明様を祀る講）
一一月二三日　下増田神社新嘗祭（一年間の感謝、農業関係の人が集まる、こどもが神輿を担いで町内を回る）
一二月一三日　北釜海岸林清掃

こうして、日々の聴き取りとともに、記録係として一つずつ務めを重ねてゆくうち、「駆け出しのカメラマン」とか「写真家」という印象が少しずつ定着していって、そして「体のことを心配してくれたり、プレハブ代は大丈夫かとか、ご飯はちゃんと食べているのかとか、実家のお母さんとは連絡とっているのか、などいろいろ気に懸けてくれるようになった」。そのことを志賀は「生身の生活」――ずるむけとなった肌を晒しての生活?――が始まったと、率直に言う。そういえばこの本で最初に引いた志賀の文章のなかにも、率直に過ぎないかとさえおもわれるこんな述懐があった――

たくさんの人が助けてくれた事実にすがりながら、ものが流されてなくなったことよりも、それ以前の、ものが増えつづけていく生活のほうが恐ろしかったと、食べるものに困らない、命の危険も感じない、ある意味では豊かな環境で育った私は錯覚するんです。
そして、北釜の人が遠くから私を見つけては手を振ってくれて話しかけてくれること、「なにやってんの〜。今度なにつくるの〜」って目を見つめてにっこり笑ってくれること。なによりもまずここにいさせてくれること。失敗しても許してくれること。その途方もない優しさみたいなものを彼らから受けるたびに、そのことがあまりにも尊すぎて体が破裂しそうになります。（『螺旋海岸 notebook』）

あるいは、

その土地土地で、現在進行形の自分の時間軸で出会った人との関係をもとに、土地と自分が交差する点で立ち現われるイメージに、飲み込まれていくような感じだったと思います。それが結果的に作品制作につながっていきました。なんというか、自分が被写体をガッと摑まえて写真のなかに引きずり込むのではなく、体に「東北」がズブッと刺さってくるというか……。その意味では、私にとって新しい写真との関わり方だったと思います。身体がオートマチックであることを超えて、むしろ積極的に容れ物のような機能をもち始めたようなことだったんですね。（同前）

志賀の〈社会〉を考えるとき、この「容れ物のような機能」、つまりは《器》ということがポイントになるとおもう。志賀は村人たちとの避難所生活のなかで、《螺旋海岸》と題されるであろう次の展覧会のための制作をじわりじわり再開した。村人たちも、村の復旧作業のかたわら、まるでその延長の仕事であるかのように、撮影のセッティングのために穴を掘り、ついにはモデルにまでなってくれた。独りでしんどそうだという思いやりもあっただろうが、村人たちがそのよく訳のわからない世界になんのためらいもなくすっと入ってゆけたのが、なんとも不思議である。

ではその《螺旋海岸》の制作過程とはいかなるものであったか。それを、ここで得た《器》という視点にさらに《強度》という視点を重ねて見てゆきたい。

《螺旋海岸》

震災からおよそ一年八カ月、二〇一二年一一月七日に、その展覧会は幕を開けた。せんだいメディアテーク六階の、仕切りなしのだだっ広いスペースに、二四三点の写真が一つ一つ、背丈を超すようなボードに貼りつけられ、渦巻く曼荼羅のように配置されている。だれもがまずはその渦の中心にあるひときわ大きな「遺影」に引き寄せられ、そこから他の作品をぐるぐる螺旋階段を歩むようにして見てゆく。

鉛色の泥地のように見えるその海沿いの暗い砂浜、そこに松の大樹を倒しその枝をコンパスの針のようにして同心円を描く人、轍《わだち》のように刻まれた同心円の溝、あるいはそれを蹂躙《じゅうりん》するような乱雑な線。闇に隠れて死者を埋めるかのようにシャベルで地面に穴を掘る人。大地に穿《うが》たれた穴、穴、穴。巨大なヴィニールシートを地中に引きずり込んでゆく穴。

水たまりのそばで、人体の抜け殻のようなヴィニールのトルソとそれを介抱する男。砂地で真っ赤に染まった夜空を見上げる青年。胸に巨大な樹の根と幹を貫通させて立っている老夫婦。野生の茂みに囲まれた沼地のなかを手をつなぎ道行きよろしく去ってゆく老齢の男女。大地の裂け目に分け入って自転車を押す老婆。ブロックで乱雑に囲われた隅で顔に手を当てる中年の女性。漆黒の中央にぽっかり空いた光の穴に円形に四方八方からかざされた手の輪。透明ヴィニールに包まれたぬいぐるみを積み上げその前に座す老人たち。透明ラップを破いて散りばめたかのように光る松の樹に寄り添う女。工事用の梯子に腰掛けるウェディングドレス姿の女たちのその下半身。廃用になった建物の内部の赤いタイルの前でフラフープをする少女。藪のなかで男に抱えられた犬、胴上げのように掲げられた少年。

巨大な魚の眼だけを至近距離で写したかのような不気味なオブジェ。至近距離で撮った老人の片眼のその奥で針の先のように光る点。アスファルトの路上に乱雑にぎっしりと並べられた植木鉢。津波に流されたクルマの内部、皿に並べられたまま砂をかぶった海老《えび》たちの死骸。巨大なテントの布で覆い隠した物体、あるいは白布で覆ったなにやら得体の知れない物の列。津波に流された写真を床や壁に整理して並べた避難所の風景。開墾時代の古ぼけた記念写真……。

これらはほとんどが漆黒の闇をこじ開けるかのように、照明をあて、撮られている。こつこつ準備をしているといつも撮影を始めるのは黄昏《たそがれ》どきになってしまうと志賀は言うのだが、やはり闇夜でなければならない理由がそこにはあるとおもう。

これら松林の空き地を舞台とした、日暮れの野良仕事とも強制労働とも見えるシーンや不気味なオブジェの数々とともに、津波に流された家々の敷石を百倍近くに拡大した、巨大な米粒のような写真群がそこかしこに立ち、さらにそれらのあいだに何も写っていない漆黒の巨大な印画紙がそそり立つ。まるで宇宙をかたちづくるエレメントであるかのように。

印画紙の背後には何もない。が、立った写真たちは、まるで一つのまなざしのごとくに泡立ち、見る者の感覚をざわつかせる。林立する写真群にはじめは墓地に入り込んだような気になったが、そのあいだに立つと、ところどころ赤が強烈に射す画像と、敷石の白と、漆黒の闇とが混じりあって、まるで宇宙のまばたきのなかにいるかのようであった。

わたしたちが前にしているのは大きな紙片。なのにその一つ一つが、こちらをまなざす面《おもて》のように立っている。そのまなざしの先にある見えない世界がわたしの身体のなかを駆けぬける。そんな感覚が村人たちの身体をもよぎったのだろうか……。

被写体になっているのは北釜の村人たちばかりである。なぜ村人たちは、訳のわからない写真の世界に、そのようにためらいなく入ってゆけたのか、村人にとって珍客と言ってもいいはずだった志賀と村人たちとのあいだにこうして立ち上がっている関係を、わたしたちはどう受けとめたらいいのだろうか。

同心円

震災の日から遡ること、およそ三年。北釜に住みはじめてから志賀は村人たちの語りの筆写を始めた。一人ひとり何十時間もひたすら聴き、録音したその話を。

志賀はそのときのことをこうふり返る――

ビデオを見ながら何度会話を聞き返しても、それだけでは聞く側としての壁を超えられない感じがあった。そこで、話された言葉一字一句すべての文字起こしをしてみたんです。同じフレーズを繰り返し聞きながらの作業なので、少し言葉が体に入ってくる気がするのだけど、まだまだ足りない。さらに今度は、その文字起こしの言葉を見つめながら鉛筆で写経するように全部書き写して声に出して唱えてみた。話された内容は理解しきっているので唱えるうちにどんどんと意識しなくなっていくのですが、かわりに何度も繰り返される口癖や言い回しや訛りなどが「歌」のように音になって体に入ってくるのがわかるのです。それは、ともすれば内容を挟むクッションのようなもの、もしくは語られた言葉と言葉のあいだをつなぐ音とも言えるのだけれども、一ヵ所に長く住むことで培われた「どこさもいかね」という雰囲気が「土地」そのものにつながっていく姿なのだと自分自身に再認識させるような響きだった。長い時間個人の体に溜まった「イメージ」は、その言葉が向かう事実の羅列よりも、そのあいだにある「歌」のような「音」にこそある。その言葉は「いつどこで誰が」ということにまったく縛られていないし、音として繰り返されるたびに強度を増していくのです。

（『螺旋海岸｜notebook』）

はるか彼方で轟いているような声をまずは文字起こしする。『螺旋海岸 notebook』にそのノートの写真があるが、紙面にぎっしり筆圧の高そうな字で書きだされていて、それがどれほどのエネルギーと時間を消耗する作業だったかは想像に難くない。次にそれを声に出して、音として反芻することで身体に取り込む。さらにこんどはパソコンに入力し、浄書する。少女時代にハマっていた、「走って「ハァッハァッ」って息をしたときの苦しい感じとか、思い切り叫んで息が続かなくなる寸前のしびれとか、腕の皮膚をつねったときの痛みのように、体が直接的に反応するような、負荷がかかっている状態」が、ここでは、志賀にとってなかば外国語のように響く北釜の地の言葉をひたすら書き写し、復唱するというかたちで再起している。何かに対峙したときにまずはじぶんの身体に強烈な負荷をかけることから始めるというのが、志賀がそれこそ生きものとして幼い頃に身につけた方法なのかもしれない。何かを身体にねじ込むような、あるいは身体を切り揉むような、負荷である。

それはやがて《螺旋海岸》の撮影時の作業としてより強烈に再起することになるのだが、それについてはのちに改めてふれることにして、ここでもう一つ着目しておくべきことは、テクストとして筆写された語りの内容ではなくてその「口癖や言い回しや訛りなどが「歌」のように音になって体に入ってくる」ということである。語りとその「内容を挟むクッションのようなもの、もしくは語られた言葉と言葉のあいだをつなぐ音とも言える」もの、これはミケル・デュフレンヌのいう言葉の「回転扉」、つまり〈意味〉の織物としてのテクスト（text）と〈肌理《きめ》〉としてのテクスチュア（texture）という言葉の二つの位相に重なるものだ。そして後者のこのテクスチュアのうちに、彼女が十代からずっとこだわってきた「イメージ」なるものが結晶するのだと、復唱の過程で悟った。テクスチュアとして結晶したもの、それを志賀は、村人たちがつぶやく「どこさもいかね」と「忘《わ》したわ」という二つの言葉のうちにとらえている。

たくさんの方が、多くの場面で「どこさもいかね」って言った。それは「北釜にずっといるよ」ということ。現在北釜に住む七〇歳以上のほとんどの方がこのあたりの地域で生まれ、育ち、働き、家族をもち、長い時間をこの土地で生きてきた。自分の意思や体が土地そのものとても強くつながっていて、土地の力がその人を主導しているとも言える。人間社会に生きるうえでの複雑で堪え難い様々なことが時折その人を襲ったとしても、苦しみの時間は土地と人に痕跡を残しながらも必ず過ぎ去っていく。時間を堪えた身体が器としてこの土地に「ある」という事実が、私には「強さ」に見えたんです。この独特の雰囲気や俯瞰的な視線は、土地とのつながりがあるからこそ生まれた持久力とタフさなのです。北釜には、人が住む場所や畑などを開墾してきた歴史があるのですが、土地はそもそもそこにあり、陸が消えてなくならない限りながあってもそこに存在しつづける。春夏秋冬が巡るように、あるときその土地で生まれ、やがてはその土地に埋まっていく。だから私は「どこさもいかね」という言葉にひとつのたしかな生きる方法を見たんです。（同前）

もう一つ、「忘したわ《わ》」について志賀はこう語っている――

なにかを話そうとしてみなさんたびたび「忘したわ」と言うんですね。その言葉を耳にするたびに、現在進行形で息をしている彼らの身体のなかにおける時間とは一体なんなんだろうかとすごく考えました。私の体ではなくその人の体のことをすごく意識するんです。唐突に聞こえるかもしれないけど、時間なんてものはじつはないんじゃないかという気さえして、だとしたら体に溜まっていくものはいったいなんなのか。時間がいまこの瞬間も流れつづけるなかで、止まってふり返ろうとするとひずみが起きて「忘れた」が湧き起こってくるのかなと。そうしないとその身体は狂ってしまう。止まることのない時間を堪える方法として「忘れた」ということがあり、沈黙を破る手段として半ば確信犯的に同じ話が呼吸のように繰り返される。私の心臓はそこに同調して波打ったのです。繰り返される歌のサビを聴いているようでもあって、音は私に近づくように大きく聞こえてはまた遠くなり、また近づいてくる。私は目前まで迫ってくるその歌をこの手に摑めそうなのに、そんな欲を出そうものなら、するりと指の隙間から消えていってしまう。「どこさもいかね」「忘したわ」というのは過去現在未来をつないでいるのです。それは流れる時間への抵抗であり、二度と繰り返されない「忘れた」ことへの想像力なのだと思ったんです。（同前）

《螺旋海岸》を構成する写真群のなかでもひときわ象徴的な写真、松の大木を砂地でぐるぐる回転させてできた同心円の溝。「どこさもいかね」と「忘したわ」が内蔵しているイメージは、この溝に託されている。この溝が織りなす同心円を、高速で回りながら見た目はじっと静止している独楽《こま》に喩え、それは「過去現在未来が存在しなくなった場（ゾーン）」なのだと志賀は言う。震災のみならずそれ以外にもしたさまざまの苦労、喜怒哀楽、それらの紆余曲折を潜り抜けて、さまざまな澱《おり》のようなものとしてじぶんたちの生がこの土地の上でくり返されてきた。その記憶をそれぞれに抱え込み、前にもだれかがおなじように抑え込んでは再起してきた、その型がいまもじぶんたちを支えている。個々に抱えたその深くて昏い淀みと、それが生を歪ませるまでに膨らんできたときに「忘したわ」と口ごもって逸らしてゆく、そんな鬩《せめ》ぎあいが、「忘したわ」という、まるで「歌のサビ」のようなものとして、あるいは空に上ってぷすっと破れる風船のかすか

上 「62539」

下 「北釜じゅうから集められた植木鉢。真ん中にいるおばあさんは植物を育てるのが上手」
上・下ともに志賀理江子『螺旋海岸｜notebook』(2012) より

な破裂音のようなものとして、独楽の芯に吸い込まれてゆく、そんな村人たちの無名の息遣いに志賀は共振した。

童謡や民謡、童話や民話もそうだが、「長い歴史を経て受け継がれているから無駄なものが削ぎ落とされている」から、「どこさもいかね」にも「忘したわ」にも、身体をずどんと直撃し、貫くような「強さ」がある。「無駄なものが削ぎ落とされている」というのは、いかにもアーティストらしい発言である。

さて、身体をずどんと直撃し、貫くこの「強さ」に感応したとき、志賀は写真を撮るという自身の行為もまた、その「浮つくところがない「北釜の言葉」」に被せることのできるもの、重ねあわせるべきものであることに気づく。写真こそ過去・現在・未来という時間の流れを凍結するメディアとしてあるからだ。砂地に刻まれたあの同心円の線状は、過去・現在・未来をいまここに集極させる、印画紙に焼き付けられた像にほかならないのだった。

だからこそ、《螺旋海岸》展での写真群の配置はどうしても螺旋状でなければならなかった。入口から入って壁面を順々に見てゆく線状の「物語」ではなく、「イメージ」の曼荼羅模様のようでなければならなかった。

「わからなさ」という感覚、あるいは作法

唐突なようであるが、ここで引いておきたいひとりの精神科医の言葉がある。最相葉月が心理療法の一環としての箱庭療法と風景構成法に取材した『セラピスト』（新潮社、二〇一四年）のなかで、中井久夫が「物語」について語る場面である。「ええ」と承《う》けているのは取材者の最相である。


「物語を紡ぐということは、一次元の言葉の配列によって二次元以上の絨毯を織る能力ですからね。そこに無理もあるのです。言葉にならない部分を言葉のレベルまで無理に引き揚げることですから」

「ええ」

「言語は因果関係からなかなか抜けないのですね。因果関係をつくってしまうのはフィクションであり、治療を誤らせ、停滞させる、膠着《こうちゃく》させると考えられても当然だと思います。河合隼雄先生と交わした会話で、いい治療的会話の中に、脱因果的思考という条件を挙げたら多《マ》いに《マ》賛成していただけた。つまり因果論を表に出すなということです」

「ええ」

「箱庭も、あれは、全部物語を紡がない、ということも重要なのでしょう。河合先生はよく、ふーんって感心していればいいとか、私はなにもしないことに努力しているのです、といっておられた。あれは、そういうことを念頭においておられたんでしょうね」

「セラピストとのやりとりを重ねるうちに、クライエントはあるまとまった物語をつくっていきますが、それは必ずしも、本当の物語ではないというか、本当の物語である必要はないということですね」

「ええ。本当の物語は不在かもしれません」　（『セラピスト』）

話を線状にまとまりよく紡がない「脱因果的思考」、そして、ほつれだらけできれいに閉じない「物語」。これは、志賀の写真の曼荼羅状の配置についてもいえるが、同時に彼女の撮影の仕方についてもおなじようにいえる。このたびの展覧会の準備中にインタヴューしたとき、彼女は「写真を撮るにしてもほとんど土木作業に近いような感じで、実際に撮るのは最後の五分か十分、長くて一時間です」と言っていた。行こうとなったら、パシャ、パシャ、パシャと数枚撮って完了。念入りに構図をあれこれ考えたり、あとから選択できるよう膨大な量を撮ったりしない。「私には〈私をうずかせる光景のような〉最初のなにかよりも、目隠しの状態で素手でなにを摑んでいたのかということのほうが結果的に重い」のだと言う。

その「素手」で摑んだもの、それを彼女は「わからなさ」であるという。「「わからなさ」をいただく」というふうに。北釜の人たちと「つながった」「共振できた」というのではなく、何かを「共有できた」というのでもなく、「「わからなさ」をいただく」ということ。ここに「この美しい松林と海は、幻想やファンタジーではなく「社会」だったのです」という、わたしたちがこの本の冒頭からこだわってきた彼女の発言を解く鍵があるような気がする。

《螺旋海岸》の撮影に際しても、いきなり撮影するのではなく、まずは「お願いの手紙」を書くことから始める。たとえば、マスコットやキャラクターや人形を集めて、集合写真のようなものを撮りたいので、ついてはお借りできるようなぬいぐるみなどがあればご協力願いたい……というふうに。すると、北釜の人たちからは、こんな反応が返ってくるという。「不思議なことなのですが「どうやるのか?」は幾度となく聞かれても、「なぜそれをやるの?」とは誰も聞かないんです」。(アートの鑑賞の場ではあたりまえの)「なぜ?」がここにはまったく立ってこないということ、このことに志賀は衝撃を受ける。

そのことを志賀は時間をかけてこう受けとめた。「「なぜ」という問いに至る以前のポテンシャルがとてつもなく高」いのだ、と。じっさい撮影においても、その準備段階で「予測不可能なことが突発的に起きて、さーって終わっていく」という。手の輪を撮ったときもみなが勝手に手をくっつけたし、沼での道行きも、胸を貫通する松の廃木も、葬儀の祭壇のシミュレーションも、墓穴掘りも、集まってくれた村人たちとの屈託のない語らいのなかで生まれたイメージだ。そしてときには村人自身が、「あ、それ、もうちょっとこっち」といったふうに勝手に仕切ることもある。「私には思いもつかないことを北釜の人はもたらしてくれる」というのだ。どういう情景、どういう配置にするかを最終的に決定するまでのこうした「予測不可能なプロセス」にこそ大きな意味があるという。問題は、「私が北釜とどう結ばれるか」にあると言う。

北釜の人たちが志賀がこれからやろうとしているおそらくは理解不可能なことに、「なぜ?」という問いを向けないのはなぜか。それについて志賀は北釜にはじめて来た頃をふり返り、こう言う――

北釜の方が私に「なぜ」と問わないのは、最初に私が北釜に来た頃「なしてこげなところに」とさんざん聞かれたあの一言にすべて集約されていたからだと思います。私はその「なぜ」の門を一度くぐっている。だからあとはもうその問いが必要なくなったんじゃないのか。つまり私は北釜の一住民に知らないうちになれていたのかもしれない。また「なぜ」と問わないことは、北釜の人たちの気遣いだったのかな。ときに「なぜ」は野暮で攻撃的にもなりうるし、そう問うたとしても目の前の「わからなさ」に対してなんの意味ももたらさないってわかっているんだって。一方でもし撮影に対して「なぜ？　なぜ？」と何度も問われていたとしたら、本当の意味で作品制作に興味をもってくれたのかもしれない。そのほうがずっとおもしろかったのかもって、ちょっとそういうことが頭をかすめるんですね。でもこうやってこねくりまわして思いつくような考えに負けちゃいけない。そうじゃないんですよ。私が北釜で「なぜ」と問われないことはそういう次元ではないはずなんです。

（『螺旋海岸｜notebook』）

志賀は北釜に来て「写真屋」として祭事や行事の写真を撮る役を得た。そしてそれと並行して彼女自身の作品制作を進めるうちに「だんだんとわからないことをする人だ」という理解が広まっていったようで、いつのまにか、被写体になってと頼んだら何かしている最中でも「いいよ」って引き受けてもらえる。その「わからなさ」の「すごく自由な振れ幅」が心地いいと志賀は言う。「わからない」ものやことが、じぶんと外部との境界でじぶんを拒絶するものとして現われてくるかぎりは、「わからなさ」はだんだんせっぱ詰まったものになってくる。ずっとそのことにじぶんは悶《もだ》え、苦しんできたのだが、そのときじぶんは「『わからなさ』の計り知れなく深い面に接する機会があったとしてもスルーしていた」。が、北釜ではじめて「わからなさ」が「人と人とのつながりのなかに連帯して存在しうる生きた感覚」であることに気づいたというのだ。そして「いまいろいろと思い返すと、『なぜ』が問われないことを最大の魅力として捉えているその理由は、じつは『なぜ?』が一番私を突き動かす原動力なのかもしれないということ」だ、と。

泣き叫ぶこどもが、泣き叫ぶおとなを見て唖然として泣き止むように、自分の心が本能のままにこの身を滅ぼすような欲望をぶちまけて闇に走っていかないように、皮肉だけど「写真」がつなぎ止めているのだと思う。現実と写真の世界は似ている。だから、北釜で「なぜ」と問われなかったことに驚愕したんです。それは、住民の人からしたら全然別の理由で「なぜ」と問わなかっただけかもしれない。でもその真意はどんなことでもいいんです。とにかく彼らは私に「なぜ」と問わなかった。私はそのことを通じて底知れない感覚で満ちあふれている世界が、写真のなかではなく、北釜にあり、しかも闇や破滅に向かわない方法であるのかもしれないと思ったんです。

(同前)

巧い喩えだとおもう。先に引いた「止まって振り返ろうとするとひずみが起きて「忘れた」が湧き起こってくる」という言葉とおなじで、ここでは「計り知れなく深い面」に接しかけてもそれが「闇や破滅に向かわない方法」として北釜の人たちの「わからなさ」という迎接の仕方と写真とが重なりあうのだ。その「わからなさ」という「連帯」

の「生きた感覚」に包まれて、じぶんはその「計り知れなく深い面」にぐっと身を挿し込むことができるかもしれない。破滅しないで「その深みにどこまでも潜っていくことができるかもしれない……」。そういう感謝を志賀は「「わからなさ」をいただく」と表現した。逆にいえば「わかりやすさに負けちゃいけない」と、じぶんを鼓舞した。そういう意味で、志賀は北釜でもこれまでもずっと抱えてきた「わがまま」を押し通した。じぶんを譲らなかった。そんな志賀に、住民はある日「「絶景」を発見したから、いますぐカメラを持って来い」と電話をかけてくる。そういう「わからなさ」が壁になるのではなく、蝶番《ちょうつがい》になるような関係が生まれていたのである。それやあれやを含めて、志賀は北釜の人たちの「途方もないやさしさ」にふれ、「尊すぎて体が破裂しそう」と言うのである。「尊い」とは、志賀がその連続レクチャーで何度もくり返し口にした語である。

〝連帯〟の綴じ目

この「わからなさ」にはしばしば「深み」だとか「深い面」といった表現が重なる。そこに突き入り、潜り込むことがどんな狂気じみた幻想へと人を誘うかを志賀が知らないわけではない。というか、すでに『CANARY』で幻想のその危うさが、それを目にした多くの読者を怯《ひる》ませていたはずだ。臨床心理学者の河合俊雄は、彼、あるいは彼の父の河合隼雄がいう（言葉にならない）「深い世界」に降りてゆくときの危うさについて、最相の先の本のなかでこう語っている——

クライエントによりますが、基本的に人間は簡単に浮いてくるんです。無理に引っ張り上げようと思う必要はない。ただ、浮いてこなかったときにどうするかは工夫がいります。浮いてこないのを無理に引っ張り上げないほうがいいときもあれば、浮き上がらせるためにやったことが裏目に出ることもある。潜水病になることもあります。今沈んでいるんだというのを耐えなきゃいけないこともある。引っ張り上げないといけないと思っているけれど、それは勘違いで、セラピストだけが戻りたいと思っているだけかもしれないこともあります。なかなかむずかしいことです。（『セラピスト』）

このむずかしさを志賀がもしかろうじて躱《かわ》しえていたとすれば、それは「深い世界」がけっして志賀の内部で編まれた世界ではないからである。つまり「わからなさ」を共有する村人たちとの関係に支えられつつ、彼らの屈託のない関与を作品の制作過程に取り込むなかで、あるいは彼らのうちに養ってきた「わからなさ」への迎接の仕方にふれて、志賀が自身の「わからなさ」への迎接の仕方をいわば偶発的に変形していったからであろう。そこに志賀は、「闇や破滅に向かわない方法」を見た。このことはしっかり頭に叩き込んでおきたい。というのも、「わからなさ」が〝連帯〟の綴じ目となるというのは、わたしがここでたぐり寄せようとしている〈未知の社会性〉にとってもおそらくは決定的な意味をもつはずだからだ。

「わからなさ」ということはふつう、知識の欠損や理解の限界として、否定的に受けとめられる。しかし、あらためて言うまでもないが、「わからなさ」の意識こそ、わたしたちのあらゆる情熱、想像、欲望の火を点けるものである。幽霊と見紛う枯れ尾花、蛇と見紛う道端の縄とか、男女のさだかでない人の佇まい、誘っているのか拒んでいるのかさだかでない人のふるまいとかのように、その存在が不明であることが人の欲望を焚きつける、あるいは、わかりたいのにわからない、もっと見晴らしのいい場所に出たいという焦《じ》れこそが学びへと人を駆るように――別の場所に出る前にそれがどんな場所かわかるはずがない、学びとはそういうものだ――、わからないものが存在することを意識することが、わたしたちのもがき、あがきの初動をなす。そういう意味で、「「なぜ」が問われないことを最大の魅力として捉えているその理由は、じつは「なぜ?」が一番私を突き動かす原動力なのかもしれないということ」だと、志賀も逆説的な言い回しをしていた。

いや、そもそも人の智慧というのは、わからないものに直面したときに、答えがないまま、つまりはわからないままに、それにどう正確に処するかにあると言ってよい。イデオロギーとはだれも正面だっては反対できない思想のことだと、最初に言ったのは柄谷行人だと記憶するが、いまわたしたちの社会に流通している「エコ」「多様性」「安心・安全」「コミュニティ」「コミュニケーション」「イノヴェーション」などの観念は、それを仔細に吟味すればさまざまの不整合や撞着に突き当たるはずなのに、さらなる吟味を抑圧し、それに対して正面からは異を唱えさせなくする思考の政治力学が根深くはたらいている。わたしたちの思考を催眠状態に置くような力学である——「アート」もまたこの力学に巻き込まれており、それがイデオロギーというべきこうした範疇の諸観念と安易に接合することに抗《あらが》って、わたしはこの原稿を書いている——。そして、思考を停止させたまま、含みもなければ曲折もない、そんな単純な物言いが、あるいは不満や不安の強度を単純に高めるだけの粗雑な物言いが、言論の表面を厚く覆っている。屈折もなければ否定による媒介もないそうした思考には、他の人びとの思考の痙攣との過剰な同調はあっても、それをわからないままに抱え込んでいられる奥行きはない。あるいは、すぐには解消されない葛藤の前でその葛藤に晒されつづける耐性というか、ためがない。

しかし、個人の人生であれ国家の運営であれ、そこでほんとうに重要なことは、すぐにはわからないけれども大事なことを見さだめ、それに、わからないまま正確に対処するということである。かつてわたしは、三つのまったく異なる場面を例にとってそれを指摘したことがある（『わかりやすいはわかりにくい？』第一三章、ちくま新書、二〇一〇年）。

まず、政治的な思考について。政治的な判断はきわめて流動的で不確定な状況のなかでなされる。外交政策であれば、相手国の思惑を測り、いくつかの可能性を想定してそれぞれに手を打つ。しかし、そうした対処じたいが相手国の思惑を刺激し、事態はいっそう複雑なものになる。次に、国内政策に眼を転じれば、さしあたって不可欠の政策AとBがあるとして――たとえば小泉内閣の時代なら、景気刺激と構造改革という相反する政策がそれであった――、そのいずれに先にとりかかるかでAとBそれぞれの政策としての有効性は大きく変わる。政策が施行される状況じたいが大きく変化してしまうからだ。だからAに先に手をつけるのか、Bを先に実行するのか、それを手遅れにならないうちに決定しなければならない。とはいってもいずれが有効か、だれも前もって見通せるわけではない。見通せないけれども決定しなければならない。つまり、結果が不明なまま、不明なことに正確に対応するということ、それが政治的思考には求められる。

ケアの思考について。入院中のある患者が非常に深刻な容態に陥ったとき、そしてどういう治療と看護の方針をとるかというときに、考えは立場によって大きく異なる。医師の立場、看護師の立場、病院スタッフの立場、患者の家族の立場、そしてなにより患者本人の思いと、さまざまな思いや考えが錯綜する。そのうちだれかの意見をとれば、別のだれかが納得しない。つまりここには正解はない。正解がないままスタッフたちは、いささかの猶予もなしに治療と看護の方針を決めなければならない。

そして、アートの思考について。たとえば、制作中の画家には、じぶんがこれから表現しようとしているものが何か、よくわからない。描きたい、表現したいという衝迫だけは明確にあるが、描きたいそれが何であるかはじぶんでも摑めていない。けれども、ここはこの色でなくてはならない、そこはこういう線でなければならないという必然性は、描くうちに立ってくる。つまり、ある色だけを別の色に置き換えたりなぞすれば全体が台無しになってしまう。絵を描き了《お》えたときには画面のすべてがこうでしかありえないという必然性を帯びている。しかしその画業の意味を問われても答えようがない。画家の元永定正はじぶんの作品について「これは何ですか?」と問われるといつも、「これはこれです」と答えるのだという。そういう意味で、曖昧なものを曖昧なままに正確に表現する、一カ所もゆるがせにしないで、正確に、これしかないという表現へともたらすこと、これが画家の力量であるとおもわれる。

このように、政治的な判断においても、看護・介護の現場でも、芸術制作の過程でも、見えていないこと、わからないことがそのコアにあって、その見えていないこと、わからないことに、わからないままいかに正確に対処するかということが問題なのである。そういう思考と感覚のはたらかせ方をしなければならないのがわたしたちのリアルな社会であるのに、人びとはそれとは逆方向に殺到し、わかりやすい観念、わかりやすい説明を求める。一筋縄ではいかないもの、世界が見えないものに取り囲まれて、苛立ちや焦り、不満や違和感で息が詰まりそうになると、その鬱《ふさ》ぎを突破するために、みずからが置かれている状況をわかりやすい論理にくるんでしまおうとする。その論理に立てこもろうとする。わかりやすい二項対立、それも一方の肯定が他方の否定をしか意味しない二者択一というわかりやすい物語に飛びつき、それにがんじがらめになって、わからないことにわからないまま正確に対処するという息継ぎできない潜水のような思考過程に耐えられないでいる。眼前の二項対立、二者択一に晒されつづけること、その無呼吸に耐えてやがてそれの外へ出るというのが思考の原型となる作業なのに、その作業を免れるほうばかりに向かっている。

〈器〉としてあること

志賀もまた、「わかりやすさに負けちゃいけない」とみずからを叱咤し、わかりやすさの誘惑を斥《しりぞ》けつづけていた。「わからなさ」を〝連帯〟の綴じ目としてとらえなおすこと、それを志賀は「イメージの通り道」をじぶんの身体のうちに設けることだと受けとめた。ここで「イメージ」とは、想像されたもの、表象されたもののことではない。言葉へと約《つづ》めようのない存在の根拠、もしくは〈原‐物語〉とでもいうべきものを意味している。そのような「イメージ」のなかにじぶんが入れるかどうかに、その方法に、じぶんの生死がかかっていると、志賀はくり返し言う。志賀の「試み」はそれほどにのっぴきならないものであった。

そのために彼女がまず試みたことは、すでに見たように、そして幼い頃からいつもしてきたように、身体に負荷をかけること、身体に無理を強いることであった。いいかえると、じぶんの身体を、他の何かがじぶんの存在を蹂躙しながら通り抜けてゆく「通り道」とすること、つまりはじぶんの存在が〈筒〉となること、〈器〉となることであった。おなじことをさらにいいかえると、じぶんが媒体（media＝巫女、つまりは何かが憑く器）となることであった。そのために、たとえば村人たちの「言霊」を体内に採り入れるための筆写と復唱という、苦行ではなく没入の作業があった。じっさいの撮影に入ると、その作業の強度はさらにエスカレートしてゆく。

たとえば、あの轍のように同心円の溝を刻むあの作業においては——

私自身はこの回転のために体をエネルギーの塊にしなければならず、力の限り松を押して速度を速めていくことだけになによりも集中します。だからここに発生する私の感情などは瞬間的に現われては消えるオーロラのように、遥か遠くにあるものです。もっと言うと、ここにある私の体は、ひたすらこの回転に向けて労働することで存在しており、「写真」に捧げられるものです。このときの私の体は変形し続ける穴のよ

うな形になり、あらゆるイメージが通り過ぎる底のない筒になる。（傍点筆者）

（『螺旋海岸｜notebook』）

この「底のない筒」は砂場に空けられた穴として、《螺旋海岸》のなかにいくども登場する。あるいは、

私は自分の目では見えなかった領域が見えるように、撮影がどんな予測不可能な展開になってもいいように念入りに準備をしたい。〔……〕だから現場でとにかく息が切れるまで身体を動かして、カメラの前に自分が思うより遥かに豊かなイメージを呼び込むように、また迎え入れることができるように、身体の労働力を捧げるんです。

（同前）

志賀はさらに、写真を撮るからにはこんな「覚悟」もしなくてはならないという——

イメージを身体に入れたり出したりするからには、たとえどんなよくないことが起こるのだとしても、やっぱり私自身が引き受けなければならないという気持ちもあります。そうする覚悟がなければ、切実なイメージとの関係のうえに写真は生まれないし、

きちっと目の前に立ち現われてこない。（同前）

「もうだめだと体力が尽きるところまでやって……」とも言うときのこの凄まじいばかりの強度。それはおのれの身体を空《から》にするためにあった。みずからの体内を減圧し、真空にして、「イメージ」をそこへと引きずり込むことにあった。しかも、砂地に穿《うが》たれた穴が数多く写真に撮られていたように、穴は彼女だけのものではなく、村人たちのそれでもあった。そこに〝連帯〟があった。「もうだめだと体力が尽きるところまで」というのは、村人たちのこれまでの、あるいは彼らが生まれる前よりずっと前にこの北釜で、生き延びるために開墾を続けてきた人びとのぎりぎりの生活のそれでもあった。

使われるということ

いうまでもないが、〈器〉は何かを収容するもの、外物を内に取り込むものであるとともに、だれかに使われるものである。この「使う／使われる」という点から見たときに強く惹かれるのは、志賀の次のような行文である。

「写真を撮らせてください」とお願いすると、優しく「いいよ」と言ってくれる。その優しさになにかある。言葉で表わすのが難しいのだけれども、その底知れぬ優しいなにかが、私自身が許された証のように思えるのです。あの微笑みの「いいよ」は、なにもわからずただ惹かれた松林の「イメージ」のなかにあらかじめあったのだと、胸がいっぱいになるのです。そして北釜の人は、写真に写るとき、その写真のための空間を彼らなりに意識して、そこにいて「演じて」いてくれるんです。　（同前）

いったい志賀が何をしようとしているのかがわからないままに、北釜の人たちは「わたし」に使われてくれた。それも、頑固にわがままにじぶんを押し通すこの「わたし」に。志賀はもちろんそれに制作で応えてゆくのだが、じつは志賀はそれにすでにもう応えてもいた。先に見たように、志賀もまた震災までおよそ三年にわたり、北釜の村人たち一人ひとりに膨大な時間をかけて聴き取りをおこない、彼らに知られないところでそれを一字一句洩らさず筆写し、復唱していたのだし、村の「写真屋」として行事の記録を撮ったり、頼まれればそれこそ「いいよ」と遺影用の写真を撮ってあげる、そんな時間を彼らのほうに向けて差しだしていたのだ。だから志賀の言うとおり、撮影よりもむしろ「そういう思い出の積み重ねが後々になってお互いを結んで」いたのだろう。

　こうした関係は、ある意味では家族という関係における無償の献身に近いのかもしれない。じっさいにはそれは、一方的な、見返りのない献身であり、それこそ搾取とでもいうべきことがそこには起こっている。それをしかし、あたりまえのようにやりあうのである。向きあってというよりも、「わからなさ」への献身として。志賀はそれを「労働力を捧げる」というふうに表現していた。

志賀と北釜の人たちは、「わからなさ」の一点でつながっていた。しかも、そのつながりは見返りを求めないものであった。頼まれたから応える、頼まれたから「時間」を、労力を贈る、そういう無償の応えが、志賀と北釜の人たちとのあいだで、「わからなさ」を蝶番に交換されていた。

「人を使う」「人に使われる」という関係、それがもっとも直截に見られるのは雇用・被雇用の関係だろうが、これはとくに恩義とか共感をおぼえないかぎり、避けたいものである。じぶんの存在がなにか手段として扱われている、あるいは自由を塞がれているという思いがぬぐえないのだから。だが、「人を使う」ということにはなにかもっと大事なこともあるのではないか。

ここで思い起こすのは、後半生をハンセン病患者の治療に捧げた神谷美恵子のことだ。神谷は、ハンセン病患者の施設・長島愛生園（岡山県）に精神科医として赴任してから、診療のかたわら、面談と書面調査をもとに論文を書き継いだ。が、研究が進むうち、こうしたリサーチではなく、むしろそこから洩れるもの、つまりは「資料には記録されない、彼女が実際に見て触れた「らい者」の声に、言葉の肉体を与えること」こそみずからに課せられた仕事だと考えるようになった。そしてこれまでの書き方を断った。名著

『生きがいについて』（みすず書房、一九六六年）が生まれる少し前のことである。『魂にふれる』（トランスビュー、二〇一二年）のなかで若松英輔はこれにふれて、以後、神谷の文章は「書き手の当初の意図を超えたところで」紡ぎだされるようになったという。そしてこう書く。「彼女が「らい者」を用いたのではなく、用いられたのは彼女の方だった。彼女を奮い立たせた感情は、用いられたところに生まれた」、と。「使われる」とは、だれかの意向に合わせて働くことであるから、「仕える」という従属を意味するとふつうは考えられる。が、じぶんの存在が「使われる」というのを、神谷はじぶんが「器」になるという仕方で身を捧げることと考えた。「資料には記録されない、彼女が実際に見て触れた「らい者」の声に、言葉の肉体を与える」という仕事で応えることに身を捧げようとした。そこでは「らい者」が神谷にそれまでの「調査」論文を超えさせた。第三者として、支援者として、さらには介添えとしてサポートするのではない。むしろその人にまみえ、交わり、その人になり代わって、くぐもったその声を書く。そのことを若松は、「彼女を奮い立たせた感情は、用いられたところに生まれた」というふうに言い表わした。

志賀を《螺旋海岸》の制作に向かわせたのも、そのような感情であったにちがいない。志賀はそれに言葉ではなくイメージで取りかかった。

彼女にかぎらず、震災後、たまたま耳にしたアーティストたちの発言のいくつかに、わたしはこの「使われる」という言葉を見つけた。

たとえば、写真家の畠山直哉。

「災害や大規模事故を受けてアートのできることがあるとすれば、それはどのようなものだと思いますか」という、キュレーターから突きつけられた問いに、彼は、アートは「独立した状態で誰かに見せるものではなく、「術」として使われるべきものではないか」と答えている（『3・11とアーティスト―進行形の記録』／「水戸芸術館現代美術センター展覧会資料第98号」）。

あるいは、小山田徹がいま少し突っ込んで、こう言っている（二〇一一年九月一八日付けのインタヴュー「触れられる未来」女川町《おながわ》コミュニティカフェプロジェクト「対話工房」）


「スキルとよばれるものは、隣の芝生に行って発揮されなきゃじつはだめなんじゃないか」。いいかえると、「アーティストがアーティストとしてアートの分野で何かをするのは基本的にあたりまえ」のことであって、「違う言語に翻訳されて、それが活用される」ことこそスキルというべきものであり、「違う分野に出かけて行って、アートで培った何かをそこに翻訳し、何かを作れる」ことではじめてアートとなりうるのではないか、と。アーティストとは、いってみれば「隣の芝生に行けるパスポートをもっている人」のことだと。

思い起こせば、小森はるかと瀬尾夏美も、陸前高田の人びとの「代理」としてのさまざまな仕事へと身を挺し、瀬尾の場合は写真館主の〝娘〟と見まがうばかりの抜き差しならない関係へとあえて深くみずからをインヴォルヴしたのだった（その店主はしばらく後に亡くなられたと伝え聞いた）。まさに身体を張って。そこまで使われるか、そこまで使われてもらうか、というほどに。その意味で、二人もまた「労働力を捧げ」ていた。彼女らの行為はもはやアートによる「支援」などではなかった。ある土地に、そこを生きてきた人びとのあいだに、それらの行為は深く食い入り、編みあわされていた。

「酔いしれているけれども、嘘くさいというなかでも、ほんとうに少しだけこれは絶対ほんとうだろうという、〈痼《しこり》〉というと違うけれどもなにか硬いものがあって、それが途轍もなくじぶんを貫くものだったから、そのときだけで終わらずいまもこうしてつながっていると思うし、逆に、それに裏切られながらも同時にそれに救われていたじぶんというのがいたけれど、それは治癒ということではなかった。もうちょっと違う次元の何かだったと思います。ただの治癒だったら終わっていたと思います」。そう、《螺旋海岸》の制作過程で、志賀はわたしにそう語っていた。北釜に来た当初は、「写真屋」になり「記録係」になることでたしかにどこか「癒える」感覚というのがなかったわけではないが、北釜で志賀は「闇や破滅に向かわない方法」をしかと見つけたのであった。「わからなさ」に抗うのではなく「わからなさ」へとじぶんを開くというかたちでそれに迎接する北釜の人たちと交わることで、じぶんがじぶんのことをよくわからない、そしてじぶんには北釜の人たちのことがよく理解できないという、じぶんというものからする「わからなさ」ではなく、もっと深い〈運命〉の、そして〈歴史〉の「わからなさ」へとそれをめくり返すことが、志賀には可能となった。「わからなさ」とはもっとディープなことだったのだ。

「社会」的なプロジェクト

「イメージの通り道を作る」、「イメージが通り過ぎる底のない筒になる」……。その場所として北釜の松林があった。いや、それを〈器〉としてこじ開けた。「わからなさ」は志賀をずっと引き込んだ。そしてその「わからなさ」を交点として志賀と北釜の人びとはつながった。何かの促しに、意味がわからなくても「いいよ」と応じあう、そんな無償の交換がそこに確固たるものとして生まれた。松林が〈社会〉だったとはそういうことなのだろう。

「お葬式に興味があったわけではないし、コミュニティに興味があったわけでもありません。社会へのそういう興味はまったくありませんでした。だって、最初にあの松林のぽっかり空いたところを見て、「ここに絶対に住みたい」という欲望みたいなものがその場で立ち起こって、「ここにいるためには何でもします」みたいな、「写真を撮らなくても何もしなくていいから、ここにずっといたいです」といった気分でした。その松林のイメージにどうしたら招かれるだろうかという切実な感じというか、そういうイメージとの出会いというのがまず最初にあって、コミュニティの記録係というか「写真屋」の仕事が後から来て、最終的に、なんであんなに松林にいたいと思ったのかといえば、私がそういう社会そのものだったからということが、ほんの最近になってわかってきた」。志賀はそんなふうにも語ってくれた。

「この美しい松林と海は、幻想やファンタジーではなく「社会」だったのです」

「松林が、社会が、私の中にある……」

「芸術に社会性があるのではなく、芸術が根を張る場所が社会だ」

そう言い切る志賀は、じぶんの写真が「フラットになったというよりは、深くなった」とも言う。

志賀にとって、表現はもはや個人のプロジェクトではありえなかった。アートは、もはや「自己」の内なるものを表現というかたちで外へと押しだす（ex-press）ものではもはやありえない。むしろ別の何かに出会うこと、そのことによってじぶんがなにかわからない存在の未知の可能性、あるいは根拠にふれるということだ。志賀は制作の過程できっぱりとこう語っていた。——「頭を抱えて「うーん、どうしたらよいか」とか、「自分はいったいいまなにを撮影しているのか」「ここにどんな意味が宿るのか」などと考え込んでしまうような「問い」を自分の心に発生させたくないんです」。

表現とはけっして個人のプロジェクトではない。とはいえそれは、なにかある同一の価値に手を携えて向かうということでもない。それは、いってみればもっと非決定的なものであろう。個人の内なる動機とか衝迫とかから引きだされる必然として制作はあるのではなく、他者に晒され、ときに他者に身をあずけることで、つねにおなじように「わたし」であろうとする強迫から解き放たれる、そのような偶然を孕んだ可能性、それをたぐり寄せる行為として制作はある。その可能性は、じぶんとは別の存在、つまりは他者との偶然の遭遇によって他者のほうからいわばわたしに贈られるものだ。が、わたしの存在もまたみずからそうと気づくことなく、それを他者に贈り返している。たとえば、志賀が「写真家」から「写真屋」へ立ち位置を移すなかで、逆に「被写体」にすぎなかったはずの村人たちが（志賀のイメージのなかで何かを演じる）「モデル」に、ときには「仕切り役」へとなにか特別な意識があるわけでもなく移ったように。

集団がなにかある同一のもの、たとえば共有の財産や富、記憶や価値観、約束や掟といったものを分かちもちながら、協同して、あるいは一体となって、つくり上げる秩序としての共同体、これは「人間の人間に対する絶対的内在」（ジャン＝リュック・ナンシー）というかたちで結晶する共同体であろう。それは何かの「共有」ということで成り立つ閉じた共同体である。これに対して、志賀が出会うことになった「社会」は、何かを共有することを前提としていない。唯一共有していたものがあるとすれば、それが「わからなさ」というものだった。志賀が「社会」と呼ぶのは、「わからなさ」の知らせを聴き取ることで成立するコミュニケーションという出来事が恒常的に起こる場のことであろう。何かを共有するのではなく、たがいにわからないままに交わるというそのことがつまりは「ある別の知らせの出来《しゅったい》」であるような、そういうコミュニケーションの場。それはとりもなおさず、じぶんが果てしなく分割されつづけるということであろう。「自分の体が濃やかな層や、いくつもの鏡が合わさったときに見える像や、液体から蒸発して霧になっていくように分裂していって豊かな気持ちになる」という志賀の言葉も、きっとそのような事態を言い表わしている。「わからなさ」によって隔てられ、融合や合一ということがおよそありえないままで「ともにある」ということ。この「ともに」こそ、志賀が村人たちに被写体になってもらえるか、撮影を手伝ってもらえるかと訊ねたときに、村人たちがあっけらかんと「いいよ」と返してくれるときに出来していたものなのだろう。これは、高揚したナショナリズムやファシズムといった融合や合一への衝動の激しい「痙攣」の、そのきっぱりと対極にある感覚だとおもう。

おそらく震災の前と後で、志賀は根本のところでは何も変わっていない。それよりも、じぶんではない別の何かがじぶんの存在を蹂躙し、通り抜けてゆく、そういう経験が起こる場所が、もはやプライヴェート・スペースとしての私室やアトリエや工房ではありえなくなったところにこそ、むしろ大きな変化はあった。志賀の凄さは、撮ることからいちども離れなかったことにある。撮ることで村人たちのなかに入り込み、さらに撮ることに村人たちを巻き込んだ。印画紙のなかに、いまじぶんを支えている〈社会〉を立ち上がらせ、そしてそれを曼荼羅のような宇宙へと開いていった。

志賀はこの松林という「社会」をそこに刻んだ砂地の溝の代わりに、せんだいメディアテークの広いスペースに、写真としてそれをそのまま移設しようとした。美術館のホワイトキューブを埋めるのではなく、そのがらんどうそのものを北釜にしたかった。だからあの溝のように写真群を同心円状に、螺旋状に立てる必要があった。

陸前高田に生まれ、その故郷をほぼ根こそぎ失った畠山直哉は、「なんのためのアート?」というキュレーターの問いに答えて、こう書いている。

数百年に一度と言われる大津波は、僕たちの意識における時間や歴史の長さを、極端に引き伸ばした。僕たちは建物の消えた平らな土地を眺め、そこが河川と海流による沖積平野であったことを、あらためて知った。自分が暮らしていた地面は、人類史を上回る長大な自然史的時間によって形成されたものだったということを、あらためて理解した。たしかに、意識の変容、人間の変容のための「術」とは、このような風景を前にした、危機的な人間のために施されるべきものかもしれないと思えるほどだ。

少なくとも、「術」は独立した状態で誰かに見せるものではなく、「術」として使われるべきものではないかと。〔……〕
　気持ちが急くのは理解できるが、「アートのできること」という問いに誘導されて、性急な答えを用意してはならないと僕は思う。このいっけんシリアスな問いに誘導されて、短時間で生真面目な答えを用意するなら、それは「術＝アート」を世界から括り出して、そもそもの契機から切断された、独立の概念に仕立て上げてしまうことになる。それはアートを「医薬品」のように扱うことや、「人を治したり社会を良くしたりといったことが目指されないで、なにがアートなの？」という台詞の持つ抑圧や、そのうちあの嫌なポリティカル・コレクトネスの恐怖を生み出すことにつながって、とても「意識や人間の変容」どころの話ではなくなってくるだろう。だからいまは落ち着いて、自身の「アート」の契機について思い出し、あるいは新しい契機を発見し、その契機に対していま自分が行なえる返答を、ひとつずつ試し、送り、自らの「術＝アート」として磨いてゆくほかはないと思う。（『3・11とアーティスト──進行形の記録』）
　この言葉、まるで苦闘する志賀理江子への激励文のようにわたしには読める。「「ねばならない」という言葉を使うことなく、義務感によって自己を誇示したり他者を威圧したりすることなく、いかにしてイメージが社会と真にコミットできるのか」──そのような課題に正面から向きあうためには、これほどまでにおのれを研ぎ澄まさないといけないのか、これほどまでに突きつめないといけないのか。なかば呆然としてわたしは志賀の仕事を見ている。研ぎ澄ます、突きつめるということで言いたいのは、細分化とか尖鋭化という意味ではない。これほど多くのことがらと経験を含み込まなければならないのか、という意味である。《螺旋海岸》は、北釜という土地での、すぐれて「社会」的なプロジェクトであった。

4　アートレス？　川俣正の仕事を参照軸に

「アートと社会」という問題設定

小森はるかと瀬尾夏美、そして志賀理江子の、それぞれの東北での活動を追跡するなかで、わたしは最後に、「術」は独立した状態で誰かに見せるものではなく、「術」として使われるべきものではないか」という、畠山直哉の言葉にたどり着いた。この言葉をまん中に据えて、これから「アートと社会」がどういう問題なのかを浮き彫りにする作業に取りかかりたい。

と言いつつ、そのとっかかりで躓《つまず》きかねないことがある。「アートと社会」という問題の立て方は、いま起こっている「アート」の液状化という現象をむしろ隠蔽するようにはたらきかねないということだ。いいかえればそれは、一つ間違うと擬似問題に転落しかねない。というのも、アートとノン・アートの境界が溶けだし、アートとエンタテインメントの境界、アートとビジネスの境界もさだかでなくなり、さらにはアーティストとしての教育を受けてきた人たちの少なからぬ部分が「芸術家」と名のることをあえてせず、逆に「アート」の通俗的な概念は拡散に拡散を重ねて、だれもがあっさりと「アーティスト」と名のるようになる、そんな《液状化》とも呼べる状況があるなかで、それら輪郭のさだかでない現象を、「アートと社会」という問題設定のなかでその一方の項として再回収すること、あらためて囲い込むことは、問題を逸らすこと、歪めることにしかならないからだ。

「表現」や「制作」、「美術」「音楽」や「芸術」、「作品」や「展覧」といった概念、さらには「ミュージアム」や「オークション」といったそれこそ社会的な枠組みのなかで、その公的施設や教育システムもふくめ、ある意味精緻に制度化されてきた「芸術」は、いまもたしかに「社会」の組織のなかにしっかり組み込まれ、それとして承認されている。この対極に、たとえばその教育課程のなかで訓練を受けながらもその「芸術」のシステムをはみ出たところ、下りたところに活動の場所を移す人たちがいる。あるいは、そのシステムとは切れたところで自生的に動きだしている人たちもいる。前者では、システムに対抗する、もしくはそれを無化するといったかたちで、すくなくとも未だそのシステムのインサイドがいわば反照的に意識されているのに対して、後者はそもそもその輪郭が不明なのだからインサイド／アウトサイドの区別もない。

ついでにいえば、正規の美術教育を受けていないから、アウトサイドというわけでもない。というか、「アートはだれにでもできる」というフレーズに乗って、あらためてインサイドに近づこうという人、あるいはアートっぽさに自足してしまう人もいるし、その対極にははっきりとアウトサイドを標榜する《アウトサイダー・アート》の領域もある。正規の美術教育を受けておらず、またじぶんが創るものがアートであるかどうかは問題ではなく、したがってアートを制作しているという意識もなしに何かを創っている人たちの活動である。ただし、それらの営為を《アウトサイダー・アート》として「発見」し、さらにこれを「アート」の一覧表に組み入れるのは、あくまでインサイドの眼である。

このように、アートとその外部の境界を溶解させるにも、「芸術」から「アート」へと弛《ゆる》んでゆく、あるいは拡散してゆくにも、さらにはこの途を逆に遡ろうとすればもちろんのこと、そこにはまるで新月の夜に外を歩くときのように、「アート」の朧《おぼろ》げな影がいつまでもついてくる。正負いずれにせよ、「アート」がまるで幾重にも屈折した欲望の照準点であるかのように。そしてその対項には、「社会」という、何もかも（もちろん「芸術」も「アート」も）そっくり呑み込んでしまううわばみのような存在がある。

高度消費社会におけるモードという現象が、それに強く異議を申し立てる「パンク」や「グランジ」や「無印」といった反モード、非モードをも〝最先端〟のモードの一品目としてしたたかに呑み込み、いやそれどころか旗艦としてせり出させもしたように、市場に見向きもしない「純粋な芸術」や「前衛芸術」、さらには「反芸術」もまた、資本主義経済の無限の自己増殖のシステムに呑み込まれてゆく。たとえば批評家やキュレーターたちに評価され、画商たちがオークションに出し、画廊が契約を結び、美術雑誌に掲載され、それがまた次世代の芸術家予備軍を刺激するというかたちで。白川昌生が『美術館・動物園・精神科施設』(水声社、二〇一〇年)のなかで書いている。「売れなくても見てもらえばいい」、「本当の芸術は商品じゃない」といった芸術家の主張さえも、美術市場のなかに活性剤として呑み込まれてゆく。「「いまだ商品にされていない新領域」をつぎつぎと探し求めて、無限の自己否定と自己肯定が当然のごとく展開され、競争状態が常に活性化、加速化されてゆくことになる。まさに資本主義経済、市場のあり方と同型ではないだろうか」と。そして、ここには「売り手はひたすら売る立場にしか立てないという非対称的関係」が厳然とあるとしたうえで、ピエール・ブルデューの『芸術の規則I』(石井洋二郎訳、藤原書店、一九九五年)のなかから次のような文章を引いている——

ここは裏返しの経済世界なのだ。芸術家は(少なくとも短期的には)経済的土俵で負けることによってしか象徴的土俵で勝つことができないし、逆に(少なくとも長期的には)象徴的土俵で負けることによってしか経済的土俵で勝つことができない。

だから、「本当の芸術は商品じゃない」と思い定めつつ、「利益ではなく制作行為の方へひたすら意識を向けてゆく」という態度、「現実には利益、金銭が自分の口座にふりこまれているとしても、それを重要視しない」態度こそが、美術市場では何より駆動するものだというアイロニーから、白川は眼を逸らさない。市場の〈外〉はない――この命題にはアートも例外ではない。だからこそ、そう、逆説的にもだからこそ、次のような活動もまた、手探りでこのシステムを切り崩そうとする「アート」――畠山直哉が「術」と呼んだあの、使われるべき技術・芸術的実践――としてたしかな意味をもちうることになる。白川が例として挙げているのは、「トライバル〔部族系〕の表現者たちから、ホームレス支援活動のビラを作る人、〈ユーチューブ〉でパレスチナ支援を画像で訴える人、無人化した商店街でアート・カフェを営む人、過疎化した山村に住んで大型資本による開発に反対する人、有機農法を実践しながら地元のアーティストを支援する人、北方少数民族資料館の人たち」など無名の人たちの数々のアクションである。「アートと社会」というふうに問題を立てるにしても、ことほどさように、関係を問われている両項の存在そのものがそもそも不明というか、複雑に入れ子の構造になっていて、杳《よう》として得体の知れないものであることは、心しておいてよいと、白川の叙述は教える。

わたしがここ数年の足どりをたどってきた小森はるか／瀬尾夏美と志賀理江子は、たしかにそういう意味での「アートと社会」という問題設定とはおよそ無縁であった。無縁のまま東北に移住した。震災後に移り住むことにしたときも、震災前に「ここしかない」と移り住んだときも、「アートに何ができるか?」などという問いは頭をかすめもしなかった。にもかかわらず、というかそのことで、「アートと社会」という問題設定に乗らないで、しかもその問いをきっかけにアーティストが直面することになる重い問題系(プロブレマティックス)に、むきだしで、というか素手で、向きあった……。そうわたしには見える。

ただ、右で見たように、いかなる活動も社会的に無記(indifferent)ではおよそありえないわけで、じっさい、東北での地べたの活動から生まれた写真やヴィデオ映像や水彩画の「展示」は、文化庁や複数の芸術支援財団などの補助金をかき集めてはじめて可能であった。が、おなじようにこれは、会場となったせんだいメディアテークのスタッフたち(学芸員とは限らない)の用務外の見えないサポートや制作現場に出かけての肉体労働、さらには彼女たちの日々の暮らしの傍にいたアートにはおよそ無関心(indifferent)な住民たちの数え切れない「手伝い」があってはじめて可能であったことも、これまたしかと銘記しておかねばなるまい。

それでもアート?

そのうえであらためて仕切りなおす。

個々のひとがみずからを「個人」(individual) として理解したとたん、以後、ときにその対項としても立ちはだかる「社会」なるものの外に立てなくなるように、ひとがみずからの表現や制作のいとなみを「アート」として理解するようになれば、やはり以後、その活動もまた「社会」なるものの外に立てなくなる。たとえそれが「社会」に反撃を試みるものであっても、「社会」から意識して脱落しようというそれであっても、「アート」であるかぎり「社会」の外に立つということはありえない。

ではアーティストが、じぶんのいとなみが「アーティスト」の活動として「社会」に編み込まれていることとそれじたいを意識したとき、みずからの「アート」を含み込んでいるその「社会」なるものに、彼／彼女たちはあらためてどのようにかかわりなおすのだろうか。「表現」や「制作」、「美術」「音楽」や「芸術」、「作品」や「展覧」といった概念、さらには「ミュージアム」や「オークション」といったそれこそ社会的な枠組みを問いただすというよりも、それらの概念や枠組みが失効するような地点にまで遡行したところで、みずからの先行きをも見通せない活動のなかから「社会」なるものがいかに生成してくるのかを確認しようとして、彼／彼女らはどういう行動に出るのか。

その一つの不定型な道筋を、とりあえずわたしが接した「アート未満」から始めて、アートのなかから「社会」なるものがそのいわばゼロ点で立ち上がる光景というものを、小森はるか／瀬尾夏美と志賀理江子の活動のなかに探ってきた。東北に移住して彼女たちがまず試みたのは、「表現」でも「制作」でもなく、そこに住み暮らしてきた人びとの話を聴くことだった。そしてそれらを映像で、文字で、「記録」し、それをくり返しみずからの身体で反芻するということだった。あるいは、そういう「記録」という行為をつうじていやがうえでも生まれてくる関係の網に身をゆだねるということ、関係の錯綜に巻き込まれるということだった。そしてそれをいまも継続している。

その持続を支えたものは、彼女たちがそこに見つけた「社会」——志賀は、「この美しい松林と海は、幻想やファンタジーではなく「社会」だったのです」と言い切る地点にまで行き着いたのだった——であったのはまちがいないだろうが、その「社会」が何であるかはしかし、まだあきらかではない。しかしもう一方で、アートが「アート」になる以前にまでその場所で還ろうとしたのも、まぎれもなく彼女たちである。ただ彼女たちは、「芸術」や「アート」の枠組みがじぶんのなかで瓦解することをかならずしも心細くおもっていなかった。そこに彼女たちの《強度》があった。その《強度》の理由を適切に表わす言葉をわたしはまだ手にしていない。

それこそ体を張ってアートを突きつめていったら「もうほとんどアートでなくなっていた」、(もう少し言葉を足せば)「相手に何かを投げかけ相手から何かを返され、生じた変化や亀裂に向き合っていくこと」以外に残っているものはなかったとして、「アーティスト」を「廃業」し、「アートワールド」から身を退いていったひとりの人、大野左紀子の言葉を、代わりにここで引いてみたい。これまで「2　巻き込み」「3　強度」の章で小森／瀬尾、志賀の活動を追跡してきて、すとんと胸に落ちる言葉がそこにあったからだ。「アート」を定義して彼女はこう言う──

作品によってアートの歴史を書き換えたい、人々に承認されたいという欲望よりもずっと以前に、自分の中に生じた固く小さな刺のような、違和の感覚。それをどうしても見過ごせない人が、誰に頼まれたわけでもなく何かを作り始める。世界に対して受動的でしかない己の存在を、なんとか能動的なものに作り替えようと試みる。そのような止むに止まれぬ無償の行為とそこに賭けられた闇雲なエネルギーが世界の表面に残した痕跡を、他に名付けようもなく「アート」と言うのです。その意味においては、アウトサイダー・アートとインサイダー・アートの境目はもちろん、ジャンルとしてのアートとアートとは呼ばれない行為の境目も、究極的には消えるのだと思います。

（『アート・ヒステリー──なんでもかんでもアートな国・ニッポン』河出書房新社、二〇一二年）

これは、「アートと社会」ということで多くの人がすぐに思い浮かべるものとは大きく隔たっている。そして小森／瀬尾、志賀らが取り組んだことも、「アートと社会」という問題設定の上に乗るものではなかった。いいかえれば、〝町おこし〟や地域社会の活性化という脈絡でなされるアーティスティックな活動、いうところの〝文化イヴェント〟とは、およそ似ても似つかぬ活動だった。地域社会のためにアートに何ができるかといった、自存する二つの項の関係への問い、それも一方が他方を支援するためにあるといった関係とはおよそ異なっていた。アートがアートであるのは何によってか——そう、アートはいつアートなのか？——、アートにとって他の人びと、あるいはある場所で成り立つ人びととの集合がどのような意味をもっているのか、現代社会においてアートという活動がもつ位置価とはどういうものか……といった問いすら立てないで、他の人たちとの関係そのものをその初動の相に身をさらすことから始めた。いいかえると、アートの最後の足場、あるいは底板さえ崩壊するやもしれぬ、ということは何がゼロ点かすら見通せない不透明な場所で、始められた行為であった。彼女たちは「アート」の服をそっくり脱いで、その地域の住人となった。

　とはいえ、地域住民の活動にかかわってゆくにしても、その入射角をどこにとるのかは、彼女たちにとってまったくの手さぐりの、しかもその達成がどのようなものでありうるかさえ、いつまでも見えないどころか、じぶんが何に取り組んでいるのかさえふたしかなままの作業であった。そのとてつもなく困難なその課題に、彼女たちはきょうこの日も、悲壮な面持ちすら見せないで、向きあいつづけている。

〝文化イヴェント〟という悩ましい催し

〝町おこし〟から福祉まで、いわゆる文化イヴェントの一つとしてアートが動員されるときには、アートへの問いはふつう、そうした場所から発せられるのではない。それはむしろ流通する社会的通念の側から提示される。「だれにもできるアート」とか「人びとを元気づけるアート」とか「〝癒し〟としてのアート」とかいった標語で、いかにもアートっぽい空気が、人びとの参加をうながしつつ、行政・企業の支援を得ながら、あるいは地域の活動体との協働のなかで、演出される。

じわりじわりと進行する緩慢な衰亡への危機感をいやましに抱かざるをえない、そんな市町村は、大手広告企業よりは安上がりだし、たんなる物産展よりも小洒落た味つけができると思ってか、アーティストを動員した文化イヴェントを、地域の活性化とイメージアップのために企画する。地域住民の意識喚起と地域外からの「客寄せ」とを期待して、である。

こうした「アートフル」に「アートレス」を対置する川俣正は――この「アートレス」の概念についてはのちに論じる――、「話題性」ということをここではき違えているのではないかとの疑念を表しつつ、「早急な話題性を自分たちででっち上げるのではなく、外部からそれらが語られ始める状態へともっていくこと」のほうがはるかに大事だという（川俣正『アートレス――マイノリティとしての現代美術』）。そしてそのように言いつつ、「その地域の特異性のみに固執し、他との関係性を断ち切り、頑固にその地方特有のコミュニケーションによってのみ地域性を成り立たせようとするのは、やはりどこか無理がある。それほど徹底して地域に固執することが出来ないほどに現代社会は、情報メディアが地域の隅々まで行き渡っている。頑固に固執すればするほど滑稽な衰退を免れられないだろう」とつけ加えることも忘れていない。

地域の暮らしのどのような特質が伝承されてきて現在の暮らしがあるのか、そしてそれが同時になぜいまこの地域にとっての桎梏《しっこく》となりつつあるのかといった問題の掘り下げなしに、そこらじゅうで流通している「イメージ戦略」に乗せて発信しようという薄っぺらさと、閉じた地域性を仮構することで一時的な話題にはなってもやがて飽きられ、投資した資金もこげつくだけという底の浅さとを、辛辣なまでに言挙げしているが、しかしそれよりもさらに重要なのは、「アートによる町おこし的発想によって、見えなくなる部分」があるという指摘である。

川俣によれば、その地域の文化的特性や歴史を深く意識したサイト・スペシフィックな作品――「その場の諸条件で作品が成立するためそこでしか見ること、体感することのできない作品」――であればあるほど、地元とのコミュニケーションが重要になり、当然そこにおいて「新たな作品制作と設置行為の意味性が試され」ることになるし、それゆえにそこに生まれる「専門家（企画者）と素人の構図」や「企画者側の地域に対するかかわり方の特権性」を回避するための仕組みをつくることが大きな課題となる。そういう意識を明確にもって、地域の生活現場に作品を設置することを選ぶような作家活動がたしかに増えてはいる。じっさい、「そこには作品の価値付けとともに、その場がさまざまに現在かかえている社会的な問題を、アートを用いて今までとは違ったアプローチで考えていこう」という姿勢が見られる。そして、こうした現場制作のさなかでの地域住民とのインターラクティヴな交流のなかではじめて、「アートなるものが、個人の感覚的な情動に左右されたものでしかないにもかかわらず、明確に何がしかの社会的な役割と機能を持つものとなるきっかけをつくることになるのではないか」と川俣はいう。

そのようにエールを送りながら、同時に川俣は、その危うさについてもためらうことなくこう指摘する。

昨今多くなったパブリックアート、特に町おこし事業と連動した地域の大がかりな文化イヴェントと称されるアートフェスティヴァルなどに見られるアートの特権性と政治性、あるいは他のアートとの差異化や差別化が、それを組織する側、参加するアーティスト、観客の中につねに組織されたものとして顕在化している。それを地域の特異性と文化的な催し物とをセットにした観光特産物に仕立て上げる。そこにあるのは、アートと呼ばれるものとの一面的なかかわりでしかない。

つくる側の問題とそれを受け入れる側、またそれらを結ぶ企画者側との相互関係が現在問われている。この関係をうまくつなぐインターラクティヴな作業が、果たしてどのくらいこれらの地域に根ざしていけるかが、ここでのアートの可能性になるだろう。

（『アートレス』）

「アートの特権性と政治性」のすきまを潜り抜けて、ここでいう「インターラクティヴな作業」へと行きつくのを妨害するのが、「アート」を劃定《かくてい》する「社会」のその劃定作業に一つのひねりを挿入することによって、それへと合流するアーティストの共犯性である。そのひねりを川俣の言葉でいえば、「『わけのわからないもの』を排除すると同時にそれらを「しかし難解な美術が持っているかもしれない一般的な人たちには理解できない感性」という特殊性を特権化することによって、もう一つのカテゴリー化を行なう」ということである。そしてこのカテゴリー化によって、アートが「わけのわからないもの」でありながら、その「わからなさ」によって社会のなかにたしかなステイタスを維持するというところに、川俣はアートの政治性を見ている。さらにその「わかりにくさ」を「わかりやすく」説くことが文化イヴェントの企画者あるいはキュレーターの手管となるのであるが、それは先に大野が言っていた「自分の中に生じた固く小さな刺のような、違和の感覚」の粗暴さを飼いならしてしまうこと、排除してしまうことにつながらないかというのであろう。

その意味では、アートの社会的含意にきわめて敏感である川俣もまた、「アートと社会」という問題設定に乗ることに慎重である。作家という立場から、川俣は「アーティストが社会的使命感を持つこと、これを私は否定的に考える」と明言している。なにか大きな事件や災害があったときに、アーティストもまた政治的なアクションや意思表明ないしは直接的なテーマ設定での表現活動をおこなうことがある。彼らはアーティストとしての社会的な使命感にもとづき、その直接的な表現をおこなう。けれども、川俣が言うには、「この表現の直接性というのは非常にきわどく、そうした表現を受け止める側には、その主義が明確につかめないときが多い。そしてその直接的な表現行為から伝えたい事柄の最も大事なことが抜け落ちていく感じがする。つまり社会的使命感という、自分で何かをコントロールできる、自分が世界を変えられるという発想を持ち始めること自体が、作家自らが苛酷な現実（たとえば戦争の只中にいる）に置かれている状況、あるいは否応なく行動するしかない状況以外を除いて、ある意味奢り（ヒロイズムとも言えるかもしれない）のように感じられるのである」、と。

芸術表現の直接性やメッセージ性、それにかかわるポリティカルなスタンディングポジションを、どう考えなければいけないか。アーティストが直面するこれらの問題は、いかに社会性を持ち、しかし安易な消費の対象として持ち上げられるのではなく、また技術だけが特化したテクノクラートとしてメディア産業に組み込まれることでもない。いずれでもない立場（ポジション）、しかしそこにもう一つ迂回した表現が、将来的に社会と結びつく可能性を秘めている。そのようなポジションをつねに探り続けることにおいてのみ、これから先のアーティストの近未来的スタンスがあるような気がする。（同前）

川俣のこうしたスタンスは、「「わからなさ」をいただく」というところに「社会」を見てとった志賀理江子の仕事、そしてなによりその「わからなさ」の受容こそが「闇や破滅に向かわない方法」であることを発見し、さらにその発見に、「「なぜ」が問われないことを最大の魅力として捉えているその理由は、じつは「なぜ？」」が一番私を突き動かす原動力なのかもしれないということ」なのだという言葉を被せた志賀の姿勢をあらためてここで思い出すとき、とても興味深いものとなる。「わかりやすさ」で人びとを糾合するのではなく、もちろん「元気」「癒し」といった「わかりやすい」、ということは凡庸な言葉にアートをしまい込むのではなく、「わからなさ」を連帯の綴じ目とする、そんな途を問いつづけた志賀にとっても、世界はこじ開けられないまま蓋をされてはならないものだった。

志賀はそこから、声にならないもののほうへとぐいぐい入っていったのだった。まわりにいる地元の人たちと、暮らしとアートの区別など消え去るような地点にまで行って、ともに穴を掘り、人形を道路に積み上げ、ときに沼地で道行きを演じてみようかと言いあったりもしながら、みずから「イメージが通り過ぎる底のない筒」になることを選んだのだった。

川俣もまた、地域の自己解釈の宣伝役になろうとはしない。ただし、志賀とはちがって、むしろ地域の自己解釈にある種の更新を迫るような問いかけをおこなう。地域に出かけていって、地元の人たちが耳をふさげないようなノイズを立てることで、そこにある「社会性」にさざ波を起こすことをずっともくろんできた。ある意味、異物として登場しながら、志賀のそれとはそこが異なる。「この美しい松林と海は、幻想やファンタジーではなく「社会」だったのです」という志賀の言葉とはずいぶんかけ離れた場所で口にされている、川俣の「社会性」、あるいは「社会と結びつく可能性」。その意味を次に川俣がこれまで取り組んできたプロジェクトから読み取ってみたい。

もう一つの「わからなさ」

北釜という宮城県の一地域の人びとと「つながった」のでも「共振できた」のでもなく、はたまた何かを「共有できた」のでもなく、「『わからなさ』をいただく」というかたちで「社会」に出会うことになった志賀理江子。その仕事と同様、川俣正の仕事もまたこの「わからなさ」への注視から始まるが、そのベクトルは志賀のそれとは一八〇度、逆になっている。北釜という、あくまでそこでしかありえない場所で「わからなさ」のなかに身を投じた志賀とはちがって、川俣は、世界のさまざまの地域への転入転出をくり返しながら、それぞれの地域に「わからなさ」を挿入する。「訳のわからない」仮設構築物を設置《インストール》する。先に引いた大野左紀子の言葉をいまいちど引けば、「相手に何かを投げかけ相手から何かを返され、生じた変化や亀裂に向き合っていくこと」を、しかしあくまで彼のいう「アートレスなアート」を引き金としてもろに実践してきた。

川俣は、都市にアート施設が溢れ、アート・イヴェントが溢れるというかたちでアートが消費される、そんな現代のアート・シーンにずっと苛立ってきた。〝アートが人びとの心に潤いを与える〟、〝アートが子どもたちの感性と想像力を豊かにする〟……。メディアに流通するそんな口当たりのいい物言いに辟易《へきえき》してきた。川俣はアートのもつ「荒々しい力」という言葉をよく口にするが、そういう不穏さという意味での「訳のわからなさ」が、これらの「アートフル」な情景のなかで骨抜きにされてゆく状況に、アートの死活を左右するようなある種の政治性を嗅ぎとってきた。

「これは現代美術です」などと言って、他の美術との住み分けをはっきりさせ、現代の美術ということで何だか訳がわからない作品を、わからないということが、そのまま現代美術ではステイタスになってしまうことの凡庸さに、自分は付き合いきれないところがあるし、コンテンポラリー・アートなどという洒落た言葉の中にある、何か上滑りするような気持ち悪さの中にいたいとも思わない。（『アートレス』）

アートにおける「訳のわからないもの」を「難解な美術が持っているかもしれない一般的な人たちには理解できない感性」というふうに特別視することで、アートが「訳のわからない」ものでありながら、その「わからなさ」によって社会のなかにたしかなステイタスを維持するという詐術をそこに見たのである。これを逆にいえば、アートが「アートと言わなければ、何だか訳のわからない不可解なもの」、とらえどころのないものだということでもある。こういう「ひねり」が幾重にも加えられて、《現代美術》の作品が成り立っているというわけである。

わたしの関心は、ここでいうような「わからなさ」の幾重もの「ひねり」にあるわけではない。それよりもむしろ、川俣がアートの「訳のわからなさ」を、「ワーク・イン・プログレス」を標榜する一連のプロジェクトのなかで、別の「わからなさ」へと向け換えようとしているところに、《未知の社会性》への一つの問題提起を読み取りたいとおもうのだ。

サイト・スペシフィック・ワーク

地域社会のコンテクストに深く分け入っていった志賀の〈永住性〉とでもいうべきものと、そうしたコンテクストを「異人」として次々に攪乱《かくらん》してゆく川俣の〈仮設性〉もしくは〈移動性〉というべきものとを両極として、そのあいだに、これから論じたいアートによる〈社会的なもの〉(the social) へのさまざまな取り組みがあるというふうに考えることもできるかもしれない。あるいは、二人の仕事は、体を張る、抜き差しならないところへじぶんを追い込むという、そのような強度の極まりにおいて際立っている、と言ったほうがいいのかもしれない。いまはそのいずれかを言い切ることは控えておきたい。

川俣正が一九八〇年代から執拗にこだわってきたのは、「パブリックな場での現地制作及び展示形式」である。多くは廃墟として遺る建造物の内外に廃材を、まるで廃材自体が繁殖するかのように取り付け、そういうスキャンダラスな行為をつうじて「社会的事件」を発生させるプロジェクトである。それを彼みずからは、「社会の中での可変性《フレキシビリティ》の実践的な試み」と規定している。

川俣がこれまでそうしたインスタレーション（仮設構築物）を設置した国内外の場所といえば、彼自身が総括しているところでは、公民館、市民会館、町のカフェからスナック、デパート、公園、アーケード、催し物会場、商店街、住宅街、病院、隔離病棟、アルコール依存症や麻薬患者の更生施設、廃屋、廃校、工事現場、造船場跡、大学、幼稚園、小学校、河岸、中州、海岸、山中などである（川俣正『オン・ザ・ウェイ――川俣正のアートレスな旅』角川学芸出版、二〇〇八年、参照）。

その代表的なものをいくつか列挙すると――

福岡県の旧炭坑町（田川市）で市から土地を十年間無償で借り受け、閉山された炭坑の立て杭に変わる鉄塔のモニュメントを建設する計画を立て、しかしこれの完成をめざすのではなく、その仮設の「建設現場」を拠点にセミナー、フリーマーケット、ソフトボール大会、川下り、北海道ほかの炭坑遺跡ツアーなどのイヴェントを催しつづけるとともに、さらに韓国のおなじ元炭坑町とのあいだでモニュメントを移築しあう《コールマイン田川》プロジェクト（一九九六－二〇〇六年）。

ドイツのカッセルで、第二次世界大戦での爆撃で壊されたままの教会の建物の内に、近くの廃物処理場から譲り受けてきた膨大な廃材を挿し込み、また外に張り巡らせたインスタレーション《デストロイド・チャーチ》プロジェクト（一九八七年）。

カナダのトロント市街の目抜き通りで、両隣のビルにからみつくように木材を張り巡らせた「巨大な鳥の巣」のような作品《トロント・プロジェクト》（一九八九年）。

瀬戸内の島のかつて段々畑であった丘の上に、廃材を使って掘っ立て小屋のような建造物を集合させた《ファヴェーラ・イン・牛窓》プロジェクト（一九九一年）。

ニューヨークのイースト・リヴァーに浮かぶルーズヴェルト島で、そこに廃墟としてある隔離病院の建物をマンハッタンから集めてきた廃材で囲い込んだインスタレーション《プロジェクト・オン・ルーズヴェルト・アイランド》（一九九二年）。

オランダ、アルクマールという町の麻薬中毒者やアルコール依存症の人たちのための更正施設（クリニック）で、クライアントたちとともに、この施設から町中まで湿原の上に木製の遊歩道を組み立てる作業を三年間続けた《ワーキング・プログレス》プロジェクト（一九九六－九九年）。

パリのサルペトリエール病院内の礼拝堂に、パリ中の教会から借り受けた椅子やベンチおよそ五千脚を積み上げた作品《椅子の回廊》（一九九七年）。

ノルマンディー上陸作戦の激戦地であったエヴリュウ（フランス）で、市庁舎前の広場を囲むかたちに高架歩道橋を設置した《Sur La Voie（道ゆき）》プロジェクト

（二〇〇〇年）。

水戸芸術館現代美術ギャラリー全館の室内や廊下を、一五〇トンの売れ残りの新聞紙で埋め尽くした《デイリーニュース》（二〇〇一―〇二年）。

などがある。いずれも現場は遠く、しかも一過性のものなので、写真でしか見られないし、二〇〇五年の横浜トリエンナーレの総合ディレクション以降の仕事がじつはほとんどフォローできていないため（二〇〇七年から二〇一九年までパリ国立高等芸術学院の教授職にあった）、二〇〇八年あたりまでの著作にもとづいてしか論じられないのがもどかしい。

たとえば一九八九年の《トロント・プロジェクト》。廃木が両隣のビルに蔦のように増殖してゆく様は、なにか建物に建物を超えるサイズで落書きしたような印象を与える。壁面に取り付けられた数々の長い廃木が、横向きにささっと走り描きされた直線の束のように見える。その微妙な角度のずれの集積は、抽象的なデッサンをすらおもわせる。写真でしか見られないので、ひょっとしたら現場ではサイズ感がうんと異なって、もっと荒々しい、痛覚を疼《うず》かせそうな印象を与えるのかもしれない。

作品だけを見ていると、多くの作業員を動員する、建設現場のような大がかりな作業が必要だったことはすぐに想像がつくが、同時に、このようなインスタレーションを実行するためには、地域の歴史や現状の下調べから、資金調達、現場の使用許可申請、責任問題の検討・交渉、廃材の収集と解体後の処理計画、広報活動、地元の住民たちとのコミュニケーション（最初の段階はおそらくは疑問や苦情が大半であろう）など、膨大な準備があってのことだとも察せられる。そして、住民たちのポジティヴ、ネガティヴなリアクションがさらにその作業を思いもよらぬ方向へも導いてゆくであろうことも。

このような制作活動を、川俣は「サイト・スペシフィック・ワーク」と呼んでいる。その場の諸条件に深く規定されて成立するため、そこでしか見ること、体感することができない作品のことだ。このサイト・スペシフィックな作業をつうじて、彼は「その場がさまざまに現在かかえている社会的な問題を、アートを用いて今までとは違ったアプローチで考えていく」ことをめざしているという。

アートをつうじての地域社会へのこうした問題提起は、当の地域生活のコンテクストにあえて介入してゆき、それを攪乱しようという行為であるからには、もちろんそれをおもしろがる人たちも確実にいるであろうが、しかし多くの地域住民にとってさしあたってはなんとも「はた迷惑」なことであろう。にもかかわらず、そうした抵抗を潜り抜けてプロジェクトを組み立てていこうとするのはなぜなのか。川俣はそれについて、「つねにその場で起こる実際の物事を通してでしか答えられない事柄の中に、アートの、あるいはそうでないものの新たな関係を組み立て」たいからだと言っている。

なぜ個人で表現を追究するのではなく多くの人たちとかかわるのか、なぜこのような方法論を自分が取るのかというと、携わることによる共同性の意識が、作品を個人のレベルから、少しずつ集団のものとしてのレベルに肩代わりさせ、責任を分かち合うようになるからであり、唯一その関係性の変容を体験したいという興味なのだと思う。（『アートレス』）

しかし、その地域社会に「関係性の変容」を起こすといっても、それはあくまでアーティストの側での思いであって、そもそも住民にその意志がないかぎり、それは「大きなお世話」としか映らないはずだ。部外者ともいえるアーティストがここで、はた迷惑なトリックスター以上の者にほんとうになりうるのか。当該地域に生じているさまざまな問題をテーマに「住民と共同で町や市に異議申し立てを行なうこと」は、たしかに「表現の一つ」ではありえよう。じっさい、川俣のプロジェクトの大半は、問題を抱え込みながらその可視化が困難な、あるいはその解決にうまく光が射さない、そんな状況にある地域からの「仕事のオファー」としてあるらしい。そのために準備として、そのクライアントたちとの勉強会や打ち合わせと住民たちへの事前リサーチをも時間をかけておこなう。川俣は、そこで生活している「彼らが見えなかったり考えられなかったことを、部外者である私がどこかで少しでも具現した時、彼らにとっては今までになかったものがその場にわずかばかり出現することになる」と言うのだが、はたしてそれが「余計なおせっかい」以上のものであるとどうして言えるのか。おそらくはだれもがそうした疑問をもつはずである。

「個人的公共事業」？

岡林洋は、「川俣正のアートの三つの流れ」と題する論考（岡林洋編著『川俣正――アーティストの個人的公共事業』美術出版社、二〇〇四年、所収）のなかで、川俣のこれまでの活動から三つの主だった契機を取りだしている。「個人的公共事業」と「事件性のある現場」と「リサイクル」である。

川俣の制作現場はまるで「工事現場」か「建設現場」のようであって、それが地域生活のコンテクストを撹乱する行為であるかぎり、地域の人びととの軋轢《あつれき》や衝突は避けがたい。これが「事件性のある現場」ということだ。材料についていえば、彼は都市の再開発で出た廃材を拾い集めたり借り受けたりしながら、インスタレーションの現場で再利用する。さらにその廃材を次の現場でまた再利用する。これが「リサイクル」という契機である。問題は「個人的公共事業」だ。岡林はドイツ・カッセルで一九八七年に開催された《ドクメンタ8》での川俣の作品《デストロイド・チャーチ》の映像を見て、そこでおこなわれていた作業がなにか「応急の事件現場の復旧作業」のように見えたという。「都市の建設や歴史的記念物の保存の現場でそれは試みられているというよりも、むしろ例えば鉄道事故で、あるいは自然災害で、線路の地盤が崩れたり、付近の樹木が線路上に倒れて、電車が通行不能になってしまった現場で、付近にあった古い枕木や砂利や土を使って事故現場でとりあえず応急措置を施して現場を復旧させる」、そのようなイメージだったという。岡林はそこに「あくまでアーティスト個人の行為が行われているのに、あたかも公共事業であるかのように装われている」、その「一種の偽装の構造」を川俣の現場に見る。そう、美学史でいうあのAls ob、つまり「あたかも～であるかのように」という構造がポイントだという。美学史的な脈絡での解釈としてそそられるものがあるが、しかしここで「公共事業」はほんとうに偽装されたものなのだろうか。ひょっとしたらこの偽装には、それが成功しているか否かは別として、「公共性」の川俣なりの脱構築の意図が込められていたと考えることはできないだろうか。

川俣はみずからの手法を、しばしば「ワーク・イン・プログレス」（「ワーキング・プログレス」といわれることもある）と規定する。一九九六年以降、十年にわたって継続された《コールマイン田川》プロジェクトに典型的に見られるように、完成や着地をめざさずに、そのプロセスや途中の過程にとことんこだわるところが、川俣の仕事の、逸することのできぬ特質である。何を創るか、どのように着地するかよりも、「準備中な

「ので見てください」とでもいった姿勢が、川俣の仕事には濃密に貫かれている。「川俣はいう――

結論が出ない、最終章を間延びさせていくこのプロジェクトのリスクは、つねに制作プロセスでしか見せることができないことである。そこを訪れる観客が、一様に完成されたかたちの作品が見られないことへの不満を持って帰る。いつ頃なら完成作品が見られるのかという質問に、答えるすべがない。なぜなら完成がこのようなプロジェクトにとって、最もエキサイティングな時期ではないからである。（『アートレス』）

居直りとも受け取られかねない言葉だが、「作業のルーティンだけ決めて、あとはその都度考えていく」というワーク・イン・プログレスの手法の固有性が、ここに窺えるようにおもう。つまり、人びとを暴力的に引き込みながら、しかもそこから引きだされるはずの未来を不定に開いたままにしておくという発想である。これはなんとも人騒がせなことである。そして当然、人びとをひどく苛立たせ、いやでも罵声や非難を招き寄せることになる。しかし、アーティスト自身はそれを楽しんでいるようでもある。いや、「完結することを拒否し、結論を遅延していくことの中に、表現の強度を保ち続ける唯一の手段をみる」と言い張りもしている。そう言い張れるのは、「拘束されない、あるいは利用されないもの」でありつづけることが、アートのポジショニングであると思い定めているからだろうか。あるいは、消費されるのでもなく、技術へと特化されるのでもない、むしろアートだけが切り拓きうるある未知の「社会性」があるにちがいないという予感めいたものに、川俣が突き動かされてきたからだろうか……。

例えばなかなかクライアントが集まらなかったり、雨が降ってきて仕事ができず、彼らといろいろなことを、とりとめもなく話しているその会話のほうが結構面白かったりする。そのようなプロセスから生まれてくるものに興味がある。賑々しい展覧会のオープニングより、それまでの準備段階のほうが生々しく、考えていたこととまったく違うことが制作の場ではよく起こる。その意味で意図されたドラマティックさよりも、限りなく普通なこととして制作、発表を行なっていきたいと思う。普通なことを普通にやっていながら、まったく普通でない。もう少し日常的レベルでいえば、フォーマル、ぎこちなくフォーマルに作業をしていく。それはあまり実際に出来上がった作品には見えてこないところなのだと思うが。

それは、ある意味でアノニマス（無名性）という方向である。例えば、日常の中にある一瞬の怖さというもの。ラッシュ・アワーなどで人がぎゅうぎゅう詰めで乗っている状況でも車内はひどく静かである。そこに何か凄い緊張感を感じる。一人でも騒いだらすべてがカオスの状態になってしまいそうな、そんな狂気を感じる。例えばストーカーなどの持つアノニマス性。きわめて日常的であることで逆に見えてこないもの。そういうもののほうがより怖いのと似ているのではないだろうか。

　私の仕事はより現実の世界に近いものとしてつくられるが、同時にそこから遠いものとして存在するように設置される。いわば日常に近いが日常の縁にあるものということ。そしてそこから「普通なことを普通にやっていながら、すごく普通でない感じ」を形作ることになる。　（同前）

作品よりもプロセス。作家のオリジナリティや固有性よりも「アノニマス」。アートフルよりも「普通」というアートレス。「あまりにもアート・オリエンテッド《アート界の中だけで流通すること》な所に、自分はいたくない」と洩らすその川俣は、「アートレスな存在としてのアーティスト」というふうにみずからをポジショニングしている。それを、川俣のいうように、アートの「低いポジション」と言っていいのかどうかはわからない。けれども、「テクストレスな存在としての書き手」というものがありうるかという問いを立てたときにすぐにわかるように、このポジショニングは矛盾を孕んだものである。

　じっさい、彼が「「サイト」に限りなくこだわることによってその活動は、結果的に「ノンサイト」に広がる」と確信めいて言い切るとき、「サイトに限りなくこだわる」その「限りなさ」に首を傾げたくもなる。仮設性のプロジェクトを国内外の各地で展開しつつ、そこに永住するのではなくたえず移動しつつ展開する川俣のその行為の一時性は、現場取材とそのルポルタージュを生業《なりわい》とするも、現地を一度かぎり訪れただけでやがて去ってゆくジャーナリストやルポライターの一回性とどの点で異なるのか。川俣は「多くの人たち」とのコミュニケーションというが、その「多くの人たち」とはだれのことか。そしてそうした人たちの中心に、なぜ川俣という存在がまずはいるのか。その権利、というかその根拠はどこに由来するものなのか。そういうこともっと問いただしたいところである。ただ、川俣の行為は多くの場合、一つの応答としてなされてきたことに着目する必要がある。彼の仕事は、オファーが舞い込んできて、それをとにかく引き受けるという態度のなかで継続されてきたのである。彼がそうした態度のなかで貫こうとしてきた、アートの社会性、あるいはアートと社会のかかわりとはどういうものだったのか。彼がしばしば口にし、またその制作のなかで投射していた《社会性》とはいったい何なのか。彼の仕事の《社会性》なるものを肯定するにせよ否定するにせよ、まずはそこをはっきりさせなくてはならないだろう。そうしてはじめてその「個人的公共事業」の意味も明確になるはずだ。

とはいえ、川俣の仕事には、わたし自身、確信犯の「暴走」のようなものにどこか危うさを感じるとともに、あまりにあっけらかんとした爽快感を感じてきたことも否定しない。

横浜トリエンナーレ2005

その爽快さに肌で触れたのは、二〇〇五年の横浜トリエンナーレのときである。川俣は総合ディレクターとしてこのプロジェクトに参加した。キュレーター・チームとして、天野太郎、芹沢高志、山野真悟らも加わった。会期中も運営の世話をする。彼らはそれを、「アートそのもののもつ根源的な喚起力」の立ち上がりと言い、またダイアローグ的な展示、プロセス中心の運動態であるとも言っていた。眼に見えない何かが、静かに、だが確実に波紋のように広がってゆくことをめがけ、作家が作家として「自分独りで完結しない」ような構成をまずは企てたようである。

三方に広がるその海にきらきら反射する陽の光、突堤の壁とたわむれる水の音、強風に立ち向かって空中を静止しているかのように見えるカモメ。そんな開放的な場所でそれは開かれた。横浜港のまん中に突きだす埠頭《ふとう》をその先っぽまでずっと歩いてゆくと、道を遮るように巨大なコンテナが横たわっている。そしてそこに「国家」が現われる。輸入手続きが終わっていない外国貨物を一時保管しておくための、巨大な保税倉庫が二棟。ここに横浜トリエンナーレ２００５の会場は設定された。

入り口の正面には、かつて東京・銀座の工事現場の塀に描かれた高松次郎の、淡い人影のパネル（再現）が据えられていた。じぶんの影がふと、それら描かれた影と混じりあう。その向こうの広場では、堀尾貞治が水をいっぱい張ったアルミのボウルをそうっと運び、一定間隔に並べるパフォーマンスに加わるよう、入場者を誘っている。それに、ロダンの「考える人」をトイレットペーパーを積み上げて再現したオブジェ。街路樹に水をやったり、壊れたベンチを修繕したりと、密やかに、そして慎み深く都市に介入するディディエ・クールボの匿名の「行為」。巨大な内臓を模した軽食堂……。あれやこれやを経巡《へめぐ》っているうち、シャッターの傍らに、倉庫をのぞくガリバーのような大男の顔が見え、どきっとする。じつは倉庫のなかで倉庫のミニチュア模型をのぞき込む顔をその模型のなかから写した映像を、シャッター下の壁面に大写しにしたものだった。そしてがらくたのお店やゲームセンターのようなものも。なかにはラジオ中継の現場や雑誌か何かの編集局のようなものまであった。

展示型のアートとはずいぶん趣がちがう。インスタレーション、ゲーム、公開制作、ライブ中継、さらに同時に、市街では「トリエンナーレ学校」、滞在型のマンション・ギャラリー。極めつきは、架空の航空会社「DIVA航空」のフライト・アテンダントとして制服姿で電車に乗り込みワゴンサーヴィスをするタニシKのパフォーマンス。この場所でいま起こっていること、これはいったい何かと、たぶんだれもが心のうちで問いかけたはずだ。カーペットに横たわり、余分な綿毛を指先でかき集めて、そこに動物の姿態を浮かび上がらせるトニーコ・レモス・アウァッド（ブラジル）の作品や、ファストフードの持ち帰り袋や紙製のショッピングバッグの一部を細かく切り取っていって、その袋の内部にミニチュアの木を再生させる照屋勇賢の精密細工のなかに、あるいは、働くことと遊ぶことを峻別することから遠く隔たった地点に、生きることを支える軸もしくはファンタジーといったものを感じとった人は少なくなかったとおもう。国家と市場とによって簒奪《さんだつ》され、植民地化されつつあるアートのその現状が、そこで一瞬蒸発してしまったような感覚に囚われた人も少なくなかったとおもう。そうしたアートの現状への切迫した問いかけと、それをすっと昇華させてしまうような爽快さ、その二つが川俣のこのディレクションではたがいに軋みあうことなく二重写しにされていたようにおもう。

で、その「社会」である。「社会性」である。〈社会的なもの〉が立ち上がるその初動の相で、アートがどのようにはたらくのかという問題を、これまでわたしは想定してきた。けれども、川俣は、〈社会的なもの〉の原型に還ろうとするのでもなければ、「市民社会」がとるべき未来形を具体的に描きだすわけでもない。政治的なアジテーションにも社会的なミッションにも与《くみ》しようとはしないし、未来への構想を語るわけでもない。アートはそういう次元ではたらくもの、そういうはたらき方をするものではないと考えている。とすれば、川俣がよく口にしていた、アートに潜み、アートを突き動かしているあの「荒々しい力」を解き放つ、あるいは違和の感覚を表現する、そんな行為に賭けようとしているのだろうか。

「アートと社会」という問題をめぐって、こうして川俣のいうアートの「荒々しい力」から〈社会的なもの〉へと迫る途を見てきたのだが、ここでもう一つ、別の角度から〈社会的なもの〉へと接近する途をも見ておく必要がある。目下の社会に対し、ぎいぎい軋むような音を立てながら対峙する途もあるが、アートには、はぐらかすというか、かわすというか、もっともっとゆるいもう一つの武器があるからである。

5 ゆるい途 もう一つの

あるワークショップにて

ワークショップという、協働作業をつうじての対話の試みが、ここ十年ほどのあいだに、急速に広まっている。それも、アーティストと参加者の協働を媒介させた試みが、一時期のヴォランティア・ブームをおもわせる勢いで、全国各地で開かれている。なかでも子どもを対象としたもの、障害者の介助や認知症介護、マイノリティ支援や病院でのケア・サーヴィスと組みあわせたもの、さらには生活保護を受けている人たちの救援活動などに合流しようという試みが、とくにめだつ。その場合、そこにオブジェの制作やダンスといった身体運動を介在させたグループワークが手法としてしばしば導入される。

そのうちのある部分が、自治体や企業が「社会貢献」事業として、アーティストにいわば丸投げするかたちで進められていることは否定しない。そういうことがわかっていて、それでもなおアーティストが深くコミットするのは、アートの側にこれまでのアートの制度と市場という枠組みの外にどのようなサヴァイヴァルの場がありうるかという切迫した問題意識があるからであろうし、現代におけるアートの液状化、つまりはアートとノン・アートの境界の不分明化を象徴するようなパフォーマンスであるからともいえる。

それについてはこれからも考えつづけることになるが、ここでは歩みをいったん止めて、アーティストでない人びとがアーティストとの協働になにかを期待する、その理由についても考えておきたい。

貧困や暴力や差別による理不尽な「不幸」を強いられている人びとを別として、多くの人びとはこの時代、この社会において、選択を迫られる決定的な対立というものを内に抱え込むことなく、語彙《ごい》もイメージも平らで均一的な世界に生きていると感じている。オルタナティヴ（別の選択肢）というか〈外〉がまったく見えないまま、真綿で顔面を覆われているかのように。

アートにはそういう覆いを破る勢いがある……。そう人びとは期待する。

そのような人たちが人びとのあいだにあたりまえのように棲息することは、都市にとって、地域にとって、とても意味のあることだとおもう。政治的な、あるいは宗教的な結社をつくるのではなく、人びとのあいだに別の感覚をもって飄々《ひょうひょう》と暮らす。とくに裕福というわけではない。けれど世界に向けてとても敏感なアンテナを張りつつ、日々祝祭のような暮らしをしている。ときには、昼間からぶらぶらしている人を見て、親が「ちゃんと勉強せんとあんなななるえ」と子どもに言い聞かす、そんな逆説的な教育効果もある。なのに子どものほうは、親の言葉よりも、アーティストの「法外」な行為のほうを信用する……。それでいいのだとおもう。ワークショップは、社会の既成の枠組みからはみ出たところで試みられるべきものであり、ハコをもたないその不安定さこそが、その生命線なのだろうとおもう。

この不安定さということで一つ、いまもときどき思い出すワークショップがある。東京・三田の商店街の一角で、いっとき継続的に催されていた「うたの住む家」というワークショップだ。赤ん坊、学生、商店街の人、障害のある人、アーティストらが寄り集まって歌をつくり、それぞれに楽器をもって、チンドン屋さんのように町内を歌い歩く。その人たちが披露してくれたコンサートは、重度な障害をもつひとりの青年のこんな挨拶から始まった。

「一生懸命やるかどうかわかりませんが、よろしくお願いします……」

「一生懸命やれるかどうか」ではない。「一生懸命やるかどうかわかりませんが」なのである。

このワークショップは、じつはわたしの所属しているアートミーツケア学会の大会時のケーススタディとしてなされたので、コンサートとはいえ一応、というか冗談交じりに「論文発表」という位置づけでなされた。だから、歌の後には質疑がある。「質疑応答に入ります」とワークショップの代表が宣言すると、すぐ質問がきた。これには「考えます」という答え。続く別の質問にはそういう答えすら返しえず、メンバーは「……」。すると代表は「ご理解いただけましたでしょうか？」と返す。みんなにこにこ、大笑いであった。

ちなみにこのアートミーツケア学会というのは、じつは「インクルーシヴ・デザイン」（これまでデザインのメインターゲットから除外されてきた高齢者や障害のある人などに積極的にデザインプロセスに参加してもらう手法）や「ケアする人のケア」といったプロジェクトを長年にわたり展開してきた「たんぽぽの家」（奈良）の代表である播磨靖夫とわたしなどを発起人として二〇〇六年の春に立ち上げた団体である。「アート・フォア・ケア」もしくは「ケア・フォア・アート」といった一方が他方を支援するかたちではなく、「アートミーツケア」という、交叉点をイメージした命名にしたのも、アートとケアがそれぞれにみずからに与える規定とそれが現在直面している課題とを反省的に問いただすなかで、まるで森のなかを彷徨《さまよ》うかのように試行錯誤しているさなか、たまたまおなじ空き地で遭遇し、しばし協働の作業を遂行しつつ、それぞれに相手が格闘している問題をみずからの内にクリティカルに採り入れることでさらなる位相転換を模索するということを意識して試みたからである（ちなみに「アートミーツケア」という命名は「アート見つけや」という掛詞ともなり、大阪で旗揚げすることもあって、満場一致で採択された)。

慶應義塾大学で開催されたその大会、プログラムの一環としてなされたコンサートの冒頭の、この「一生懸命やるかどうかわかりませんが……」にわたしは捕まった。胸をこじ開けられる思いがしたのである。

現在を未来にくりつけるかたちで、わたしたちの行為はなされる。目標を立て、そのためにいましなければならないことを考える。行為はふだん、そのようになされる、というかなされるとおもっている。さらにまた、過去・現在・未来を一つの意味でつなぐところに、「わたし」というものが成り立つとおもっている。過去にじぶんがしたことに責任をとり、未来にじぶんの希望を投げかける、そのなかに「わたし」はあるとおもっている。だから逆に、がんばったところで空しいと未来をあらかじめ断念しているときは、「何もかも見えちゃっている」などと吐き捨てもする。

しかし、「見えちゃっている」というこの言葉、じつはすごく不遜である。何歳で学校を卒業し、何歳で結婚し、何歳で係長になり、さらに定年後はこういう生活をする……。たしかに凡庸で、「夢」のもちようがないことである。が、ここには勘定に入っていないものがある。偶然である。事故に遭う、病気になる、会社がつぶれる、子どもを先に亡くす……といった計算外のことに思い及んでいないのだ。どういう事態に遭遇するか、どんな人と出会うかという、じぶんでは予測もコントロールもできない〈偶然〉への想像力を欠いている。

「一生懸命やれるかどうか……」と言うときには、すでに未来への道筋が描かれている。「一生懸命やるかどうか……」と言うときには、まだそういう〈必然〉でじぶんを囲い込んでいない。じぶんの意志にすらしがみついていない。わたしたちは「自由」について、いまいちどそういう地点から考えなおしたほうがよい。〈必然〉に未だ囲い込まれていないこの「自由」のなかでこそ、大野が言っていたあの「自分の中に生じた固く小さな刺のような、違和の感覚」に道を開けることができるからである。おなじくその大野なら「相手に何かを投げかけ相手から何かを返され、生じた変化や亀裂に向き合っていくこと」以外にはもう何もないと言うであろう、アートの初動状態に居あわせることができるからである。大野のこの言葉は、川俣の仕事がときに押し入るかのごとく、ときにぜひにと請われて行ったそれぞれの〝地域〟に、腕の限りをつくしてこじ開けたこの「自由」のすきまをずばり言い当てているのではないだろうか。アートには「作家」の眼ではない眼もあるはずなのだ。

「とことん」に感染する？

川俣正のいう「荒々しい力」とは対照的な、もう一つのゆるい途がある。これまた

「芸術家」とか「アーティスト」という括りになじめないところがあって、「作家」という呼称を遠ざけ、そっけなく「兼業作家」を名のるひとりの陶芸家がたどっている途である。「ちゃんと役場で働きながらお百姓さんしているみたいなもん」と、教員でありつつ作家をやっているその兼業性を逆手にとろうとしているのか、「大衆」の好き嫌いをよしとせず、アーティストのマーケット依存も嫌い、それよりかは「兼業作家」というおさまりのつきにくい場所で「行き場のない生き方の際どいおもしろさ」を見つめるほうがいいと言う作家だ。その人、松井利夫は土の器の専門家である。器は何かを内に収容するものだが、その「内」ということを問いつめ、内/外という境の生成や反転にこだわるそんな作品を創りつづけてきた。が、勤務先の京都造形芸術大学では陶芸を担当していない。「空間演出デザイン」という学科で長年、ファッション・デザインを担当してきた。まさに人をくるむ被膜という、極限まで柔らかな器を扱ってきたわけだ。近年は科内の授業のほかに、通信教育の、とくにスクーリング担当として全国を行脚している。

ある日、この松井に向かってわたしは、「これからの教育はアートがコアになるとおもっているんだけど」と水を向けた。すかさず返ってきた答えはこうだ。――「教育はアートです。教育のコアじゃなくて、アートの最後の砦、最終形態が教育やとおもう」。教育をアートの最終形態だという松井の言葉の含みについては後述するとして、まずはそもそも松井にわたしがこのように水を向けたその事情を説明しておきたい。

前々から不思議におもってきたのだが、アート制作の現場にヴォランティアとして駆けつける人たちは、無報酬なのに、なぜ寝食を忘れるくらい熱心になれるのか。いまの若者は仕事への意欲やモチヴェーションがはなはだしく落ちているという風評がまるで嘘のようである。「1　「社会」の手前で」でふれた《湊町アンダーグラウンドプロジェクト》では、たとえば高橋匡太の制作に一二三二本の蛍光灯が必要となると、どこからともなく集まってきたヴォランティアの面々が、手分けをして、なんと、廃墟となったビルや工事現場からほんとうに一二三二本集めてきた。何のためかも、どんな作品かもわからず。そしてこのプロジェクトの打ち上げのとき、「正しいと思うことって一人ひとり違うんですね」と身に沁みたように語った……。ここでいったい何が起こっているのか、すぐには理解できなかった。

じつはその後もおなじような経験をいくたびかした。

たとえば、林海象監督によるインターネット配信の映画『送り火・右左』（二〇〇七年）の制作に立ち会って。林は当時、京都造形芸術大学で映画ゼミの担当教員をしていたのだが、この作品ではその学生たちが、演技の、舞台装置の制作の、そして広報の中心にいた。脚本、監督、キャメラ、録音、音響のプロが脇を固めているので、はじめての映画制作にもかかわらずクオリティはとても高かった。とくに撮影セットと小道具の凝りようは半端でない。最後に、借金まみれの探偵が事件を一つ片づけて現金がしこたま入り、溜まっていた請求書の束を助手に渡し、これをぜんぶ支払ってこいと上機嫌で命じる場面があった。とりたてて気になるところはなかったのだが、後で聞くと、映画で使用される請求書の束は、画面の隅にちらっと映るだけなのに、学生が一枚一枚、請求する会社の名前を考案し、請求の費目も単価も総額も一つ一つきちんと手書きされていたという。とくに監督が指示したわけでもないのに。

こんな経験もあった。ダンス「アロマロア・エロゲロエ」の公演（二〇〇六年）でのこと。ジャンルという言葉を撥ねつける、それどころかアートという言葉すら追いつけないほどに作品の様態を激しく変容させてきた高嶺格《ただす》。その彼が構成・演出した作品である。わたしがそれまでに見た高嶺の作品といえば、いまや伝説と化したアーティスト集団「ダムタイプ」でのダンス、外国で他人と衣服を交換するパフォーマンスのヴィデオ、淀んだ水のなかを浮遊する女性の映像作品といったところだったが、「アロマロア・エロゲロエ」という奇妙なタイトルに惹かれ、公演先の伊丹市に向かったのだった。

イスラエルによるレバノン攻撃についての、理屈っぽい、過剰な言葉による論評が、体育館のような空間に溢れる。その地べたでは、若者たちが這いつくばり、体を痙攣させて「ひゅー、ウ、ウ、ウ」と唸るかとおもえば、すくっと立ち上がり、瞑想するかのように「ファー、スー」と大きな呼吸をしている。戦争という事件がまるで言葉によって編まれているかと錯覚させそうな言葉の洪水。そのおなじ空間で、ついに生きものとしての身体運動すら組み立てられなくなったような若者たちが、言葉にも見棄てられて呻《うめ》いている。言葉の過剰と過少のこの落差にまず面くらった。そして言葉の不通。どれくらい信頼しているかをたがいに験《ため》すばかりで、ちっとも前に進まない会話。相手の言葉がまったく聞こえないままに同時に発せられる会話。たとえば、管だらけの「スパゲッティ状態」にあって、「どうせ死んでる」からと、孫娘に体をおもちゃのように弄ばれる意識不明の老人。「こら、何してんねん」と冥界から言葉を発するが、孫娘にはてんで届かない……。

その後である。若い頃、小遣いを貯めてレコード盤を買った世代には激しい痛みが走ったはずのこんな一場面がやってくる。高さ七、八〇センチほどに積み重ねたLPのレコード盤を、腕で、膝で割って放り投げる。やがてレコード盤の山が崩れ、バーのマダムのような女性がその山に「お客さん、起きて」としなだれかかる。そのうち、散らばったレコード盤が怒り狂ったように床を激しく自転しだす。凶器のように。そして背後の大きなスクリーンに、その一枚一枚のミュージシャンの名前がうねる文字列として映しだされる。このLPレコード盤の集積、踊る若者が街から数百枚集めてきたものだ。しかも、一枚としておなじアルバムはないという。この凝りよう、いっさい手抜きをしないこの凄まじいエネルギーは、いったいどこから生まれたのか。

この作品、高嶺が当時客員教授を務めていた（これまた奇遇なことに）京都造形芸術大学で授業に参加していた学生に創らせたのだという。映像、音響の職人が脇をかためた。それぞれのシークエンスは高嶺のアイディアもあるが、たがいになじみのない学生たちが時間をかけた討議のなかで組み立てたものだそうだ。

すごいレッスンだとおもった。自身の体験に照らし、「吃音《きつおん》というのは、言葉を伝えようとして、間違って、言葉じゃなく肉体が伝わってしまった、という状態なんです」と言う高嶺が、時代に対してほとんど「吃音」状態にある学生たちに、ダンスというかたちで身体の言葉を取り戻させたのだから。いや、「身体の言葉を」というのは正確ではない。むしろ言葉の〈外〉を身体で伝達可能にしたというべきだろう。「世界」や「社会」とあたりまえのようにいわれる、それじたいがノイズのような言葉の洪水と、ひょっとしたらこれだけがリアルなのかもしれない微細な私秘的感覚とのあいだの、大きすぎる段差。それをどう埋めるかという、これまた大きすぎる課題の前でうろたえ、悶《もだ》える若者たちをここまで引っ張ってきた高嶺の、意外なまでの〝教師根性〟に、わたしは脱帽するほかなかった。

他人と何かをいっしょに創っているという感覚がもてる。どんなテーマにも入ってゆける。体感や活動にじかに訴えてくる。労働のように目的によってやることが先に決まっていない。あらかじめ枠組みもしがらみもないのでゼロから創ってゆける……。アートが学生たちを突き動かした理由は、こんなところにあるのかもしれない。が、その場にじっさいに居あわせておもった。細部にまでとことんこだわり、果てしなくやりなおし、絶対に手を抜かない作家たちの「本気」がびんびん空気として協力者に伝染し、彼らに中途半端な活動を許さなかったからではないか、と。作家たちの知覚には、並はずれた強度がこもっている。いきなり制作の渦中に放り込まれた人たちは、作家の、この社会から消えてゆきつつある獰猛《どうもう》なまでの力と、適当なところで折りあうことをしないその凝りように、きっと目が眩んだのだろう。そしてそれに感染して、水準を下げてしまうおざなりな仕事ができなくなったのだろう。どこに行きつくか、だれも知らないこうした創造的表現にじぶんもかかわっているというたしかな緊張感があれば、ひとはとんでもない力をそこに注ぎ込める……。そんなふうにおもった。

このことを作家ならどう考えるのか。こうした解釈が妥当かどうか訊きたくて、わたしは松井に先のような言葉を向けたのだった。

タコツボ無人販売所

松井は近年、敦賀の原発からそう遠くない京都府・丹後の久美浜《くみはま》に定期的に出かけて行って、電気の「小さな不買運動」をしている。ここは珪石というガラス材料の採集地で、その残土に粘土が含まれ、棄てる場所に困っている。そこで松井は、焼き物にはとっておきのこの粘土と、近くで採れる牡蠣《かき》や蟹《かに》の殻を燃やした灰に長石を混ぜて作った釉薬《ゆうやく》を材料に、近隣の廃屋の解体材を燃料として、電力を使わない薪窯《まきがま》で、久美浜ならではの循環型の食器制作に取り組んでいる。こうして作られた食器をかれは東北に送りつづけている。若いときに北イタリアに留学していたが、チェルノブイリの原発事故後の北イタリアの放射線被曝を間近に見たこのときの経験が疼《うず》いていて、この方法を思いついたのだそうだ。「何よりお金がかからない、それがおもしろいですね」と松井は言う。まさに手近にある物を組みあわせて用を足す「器用仕事《ブリコラージュ》」だ。

それはそれとして、その少し前から取り組んできたプロジェクトがもう一つある。いったい何をしでかそうとしているのだろうとずっと気にかかってきたのが、野菜の無人販売所ならぬ「タコツボの無人販売所」である。京都府・亀岡の稗田野《ひえだの》町、稗田阿礼の神社近くにある農道にこれを置き、その後、直島や信楽《しがらき》、別府などにも時を限って設置したという。松井が学生を巻き込んでやっているのは、この無人販売所のほうだ。そしてこれはまぎれもなく何も制作しない「アート」である。

無人販売所というアイディアを思いついた松井は、スクーリングで全国を回る機会を利用して各地の里や山村にある無人販売所を見て回った。その一つに、サルノコシカケが置かれ、「値段応相談」「時価十万円」と書かれ、電話番号が添え書きしてある販売所があった。まわりにはだれもいないから、こっそり持ち帰ろうとおもえばできる。「それだけでこれはアートというか、異空間ですよ。やっている本人はそういう意識はないでしょうが、受けとる側が違う意識でそこに対峙するというのは、そうと自覚されていないにしても、アートの生成現場だとおもうんです」。

設置場所はみずからの窯場のある亀岡近くにするとして、ではそこに何を置くか。思いついたのが蛸壺だった。直前に松井は、四国の坂出《さかいで》で蛸壺を作っている老人に偶然出会っていた。一カ月にほぼ二千個、近所の四、五軒の漁師のために素焼きの蛸壺を作るのを長く生業《なりわい》としてきた人だ。奥さんが製管機を回し、出てきた粘土の筒を旦那にぽんと手渡すと、旦那はそれを型に入れ、ぐるぐる回す。すると一分ばかりで壺が一つできる。その美しい流れ作業を、ふたりは一言も口にせず延々とくり返している。「その姿は見ているだけでも美しい」と松井はおもった。

この蛸壺職人のもとへ足繁く通うなか、ある日、この職人に「勤めだとふつう定年がありますが、こういう仕事はいつになったら終わりが来るんですか?」と訊いた。すると「漁師がいらんと言うたとき。わしはもう辞めたいし、明日にでも辞めたい。腰も痛いし、蛸壺に命を懸けているわけでもない」と言う。この答えに、松井は「職人はもっとじぶんの仕事に誇りをもっているというイメージがあったけれど、この人のほうが本物やな」とおもった。「仕事が終わったらいつも近所の按摩屋で腰に電気を当ててもらう、それが毎日や。体はぼろぼろで、もう辞めたいんやが、漁師が作ってくれと言うから、しゃあないから作っとるんやと聞いて、これは辞められたら困るとおもい、「おれが頼んでも作ってくれるんですか」と聞き返すと「そら注文があったら作ったる」との返事をもらった。そして亀岡での「タコツボの無人販売所」の設置となったのである。

このタコツボを亀岡では一個千円の値で販売した。その千円は、蛸の捕り方のイラスト入りのマニュアルとご当地の潮見表込みである。ふだんは何もないところに何かあると、国道を走っていた車がときどき道を外れてこれを見に来る。花瓶にでも使おうという人もすくなからずいたのだろう、めったにないことだが二日で二十六個売れたこともあるという。

当時、松井は週に一度、料金箱を開けに行っていた。開けてびっくり、「勘定が合《お》うてる。みんな正直やなあ」。このときの感触をうっとりしたような面持ちで語る。

「無人販売所」と「タコツボ」。この組み合わせは一見偶然のようだが、そこにはじつはいま少し深い因縁がある。

蛸壺職人との出会いはまったく偶然であった。息のあった夫婦の仕事ぶり、その「美しさ」にふれて、それをずっと見ていたいがために蛸壺を注文することになった。蛸の捕り方を習っているうちに、そのおもしろみにはまってゆく。

「いまはプラスチックばかりですが、どうしてそこで素焼きのものを使っているかというと、素焼きの壺で捕れた蛸のほうが美味しいんですって。プラスチック製のは罠になっていて、蛸は巣やと思うて入ってくるけど、入ると蓋が閉じて出られない仕掛けになっている。これがすごいストレスになって、「ヘンな物質が体のなかで動き回ってまず（く）なる」。そうおっさんは言うんですよ。食べ比べてないのでほんまかどうかわからんけど、さもありなんという感じはあるんです。もっと言うと、蛸壺漁は、捕る側と捕られる側が平等だというのがすばらしい。蛸は逃げようと思えば逃げられるし、素焼きの壺は蓋がないから人のほうも縄を引っ張るタイミングを逃したらあかん。要は、びっくりさせなあかんのですよ。びっくりすると蛸は壺の内壁にへばりつく。巻き上げ機を使わないここの漁は素焼きの壺の口を下に向けてやるから、そっと引き揚げたら蛸は「おかしいな」と思うてしゅっと逃げる。きゅっとやると「あれっ……」と壁にへばりついて落ちひん。捕るほうも蛸の気持ちにならな、うまくいかんのです」

おもしろいのはこの先である。蛸の気持ちにならないといけないということで、松井はなんと蛸壺の制作にとりかかる。それも「蛸が壺の中に入ったらどういう気分になるのかをちゃんとわからなあかん」ということで、じぶんが入れる大きな蛸壺を作ろうというのだ。

「蛸はすごくきれい好きで、子どもを守るために母蛸は壺の中に入っても、水がよどまないよう水を吸っては入れ吸っては入れしている。だから、中にいて気持ちのいい空間を作らなあかんとしたら、中はやっぱり漆かな、と思うて。だから内は黒塗り、そして外は金色にした。これを正面から見たらちょうど金環蝕になる。コロナが見える。海の中の金環蝕というイメージが浮かぶわけですよ。たとえば沖縄の真っ青な海の中で金環蝕を見る……これは絵になるなと思いました」

外から見れば黄金色（七万円かけてほんものの金の液を塗っている）、背丈よりも高く、重さはおよそ三〇〇キロ。「そんなのんびりしたこと、見てられへんわ」という信楽の職人さんにも手伝ってもらい、予備もふくめ三体作った。実験のつもりで久美浜の海に沈めようと漁協の協力もとりつけたが、当時、海上保安庁の許可がとれていず、家の前に置いたままになっていて、郵便配達の自転車に引っかけられて傷がついた……と、この話になったときは少々うなだれているように見えた。このときばかりは「美術家」の顔になっていた。

さて、「無人販売所」と「タコツボ」との因縁である。松井は職人の作った蛸壺で漁をしたが、ふつうは蛸壺を引き揚げて蛸と会える確率はせいぜい二割くらいだという。いくら蛸の気持ちを想像して待ってもどうなるものでもない。まさに人知を超えた存在と向きあっているという感覚すらもてないままに向きあおうというのだから。思いが通じる？　期待に応えてくれる？　そういう糸はいつまでも見えてこない。手ごたえというのも毛頭ない。そのどこがおもしろいのか。

「人間どうしやったら意思疎通がうまくいかんと腹が立つけど、蛸やったら腹は立たんでしょ。犬でも猫でもそう。あれははじめから他人やと思うてるし、「絶対他者」という存在を想定してやると不思議に心は騒がない。文化の違いとかなんとかいっても、蛸との違いに比べれば知れてるから。そういう「絶対他者」とおなじ空間でともに生きてるというのは、関係がつかんでも「まあええな、まあしゃあない」ということです」。こうした述懐に、「勘定が合うてる、みんな正直やなあ」というあの無人販売所での松井の感慨が重なる。いつもいつも勘定が合っているわけではない。持ち去られることももちろんある。けれどそれも「まあしゃあない」というわけだ。

　無益、無意義、手ごたえなし、まあそうである。けれども松井にはこんな思いがある。――「むかしは鳥と話したり、花と話したり、それこそ「絶対他者」ばっかりに囲まれ、それでもどこか通じる時代があったわけでしょう。いまはそういう会話がなさすぎるというのが腹が立つんです。鳥や蝶々と話したなんぞと言うと、「ちょっとあんた、幻覚見てるんちゃう。病院に行きなさい」みたいな話になる。そんな不幸なことないです」。

　みんな何かとてつもなく大事なものを見失ったのではないか、失くしているのではないか。いつもなら飄々としている松井がだんだんと不機嫌になってきた。「第二のわたし」（他我）、わたしの投影ではないような他者のことを廣松渉は「他己《タコ》」と概念化し、タコだけでなく、かのベルトルト・ブレヒトは演劇理論のなかで「異化《イカ》効果」とイカについても語っていると口を挟んだら、やっと表情を元に戻してくれた。

「われわれにとって不可能でないものを、不可能たらしめるのは、習慣である」とは『エセー』のなかのモンテーニュの言葉だが、この惰性、この習い性なるものに、松井は苛立っている。この習い性に違和を差し込むために、無益、無意義、手ごたえなしという、この社会で生活からは放逐されているコンテクストを見えるかたちで設定する。ここにあげた「無人販売所」はわたしなどには、アートというよりも〈交換〉とか〈信用〉とか〈義理〉とかの原型へと還ろうという、この社会のカテゴリーの埒外にある行為に見えてしまう。彼はそれこそドン・キホーテよろしくこれを大まじめで「アート」と呼ぶが、ほんとうはアートかアートでないかは問題でないのだろう。おなじくタコツボの制作も漁も、応答の気配、最低限の応答の可能性すら感じられない交通不能な他者とのまさに不能なままの接触を希《ねが》いつつそのためにそっとモノを差しだす行為に映る。わたしたちのいう、社会生活の初期設定の解除、フォーマットの書き換えへのささやかな誘いというべきか。

「普通の人として違和感がほしい」

そこでようやっと、彼の「教育」論である。彼はこのタコツボ・プロジェクトになぜ学生たちを巻き込んだのか。

教場は香川県の直島。直島に着いて全員でタコツボを海に沈めたあと、ベネッセの美術館に向かう。ここでは作品鑑賞を先に、というのがミソらしく、現代アートを見たばかりの学生に「何を考えてんの?」と訊くと、「センセー、いまわたしのタコツボに蛸が入りました」とつぶやく。「きみは絵を見ないといかん時でしょう」とわざと意地悪に言うと、「そうですけど、気になってしかたがないんです」と返してくる。休憩時にカフェでしゃべっているのを聞いても、ジャクソン・ポロックもへったくれもなく蛸の話ばかりしている。「いま、おれのに入った音がした」といったぐあいに。

松井は言う。「眼の前でしなくちゃならない美術鑑賞というのがそれだけでもし価値や普遍性があるのやったら、どうして蛸に美術が負けるのか。ほんとはみんな美術よりももっと大切なものがあるということに気づいているんやないか。何かにじぶんを投影しようという、そんな「表現」はどうでもいい。それより蛸(=他己)から見える自己のほうがたぶん正しいというか、大事やとおもう。だからうちのゼミでは卒業制作のテーマが決められないやつにはみんなで決めてやるんです。「おまえはゴルフをやれ」と。すると案外そういうことでぴったりはまったりする。途中で「やっぱりおれ、ゴルフやないと思います」と、やっとほんとの顔を出してきよることもある」。

「殻を破る」という言い方も松井はした。「大人も子どももみんな、殻はおなじ硬さやね。ぼくだって防禦《ぼうぎょ》するために殻をもっている。ただその殻を破りやすいかどうか、あるいは破ることを快感に思っているかいないかが違うだけで、それによって手続きが回りくどい人もいれば、かんたんな人もいる。だからぼくがやっているのはは〻ぐらかし〻ですよ。こう来るやろうと思えばこっちに肩透かしするとか、どんとぶつかるとかね。こんとところ、蛸に罠を仕掛けているときの感覚とすごく似てる」。

ただ、ここで「殻を破る」ことを「自己表現」だと考えたら、それは間違いだと松井は言い切る。破った先に「アート・シーン」というさらに大きな殻があり、破っても破ってもその先にこの殻が待っているわけで、「自己表現」というのはまさに「その大きな殻に合わせるために自分の殻を破っている」ことにしかならない、と。「美大には、殻が柔らかい学生というか、殻を破らないでもいい学生がそこそこいて、やる気のないやつのなかに、アート・シーンからすっかり外れているけどめちゃくちゃおもしろい学生がいる」。

では殻を取っ払えばいいのか。蛸だって壺を沈めなければ捕れないではないか。そう問うと、「はじめに殻ではなく枠を作らなあかんのです」と、意外な答えが返ってきた。「この頃はよく、世界のアート・シーンに出るのにデッサンなんかできなくてもいい、どこどこのだれだれは美大なんか行ってない、などと言います。でも日本社会のように真っ平らになった社会のなかに際物みたいなやつがいるわけがない。わざわざ美大に入ってくるやつなんか特にそう。だからはじめは、ほんまにこつこつしたデッサンがどれだけできるかとか、轆轤《ろくろ》が一日どれだけ引けるかとか、そういう枠にはまった仕事をきっちりさせなあかんと思うんです。だってこれまで物をロクに取り扱ったことのない学生には、たとえば服作りでパターンを手描きするときの、線を引く音がきれい、なんて絶対にわからない。「いやや、いやや」と言いながらデッサンをやって、寝てるのか起きているのかわからないような状態で石膏像を見ているような連中でないと見えん世界というのがやっぱりあるでしょう。別の言い方をすれば、思ったとおりのラインを指で出さなくてはいけないというのがあるんです。あるいは、ここはもうちょっとしゃきっとさせなあかんという。イメージが先にあるんじゃなくて、先に経験がある。この経験に則ってこのラインをもういちど再現するという果てしない作業をくり返しているうちに、ようやっときれいなラインが見えてきて、このラインに沿って歩きたいというふうな形ができあがってくる。それを経験させてやりたいんです。いまの美大の学生というのは、総合大学の学生よりも「〇〇したい」というその「たい」が薄い。だから授業でも「なんか違う」と思うと、抵抗するよりは消えていく。すっといなくなる。ぼくはこの違和感を膨らしてやりたいんです。でもそのためには、どこかで現実をちゃんと生きてなあかん。でもその生きてる感じがつかめない。ひたすらラインを引くというのはそのために必要なんです。そう、普通の人として違和感がほしい。材料はなんぼでもあげるから、その違和感を勝手に膨らませてもっとぼくを驚かせてほしい、ワクワクさせてほしい」

「普通の人として違和感がほしい」。「1「社会」の手前で……」で、川俣正が、そして Chim↑Pom が使っているのを確認したあの「普通」という言葉に、なんとここでも出くわすことになったのである。

アートという感覚というのは、言ってみれば蕁麻疹《じんましん》のようなものかもしれない。世界への漠然とした違和感。身体が、存在が、この状況を拒否しているという感じだ。かれらの皮膚にはいわば蕁麻疹が出ている。どんなきっかけでか、あるいはどんな才能があってか、アーティストはその湿疹や吹き出物を、いってみれば並べ替え、彩色し、別の模様に変える。そしてそれを見た人が、蕁麻疹のなかったあの健康な皮膚よりもこっちのほうがきれいだ、かっこいい、ぞくぞくする、と思うのである。いわばそういうやり方で、アーティストは世界という織りをほどき、すでにある糸で別の異なる柄を編もうとする。世界の皮膚を取り換えようとする。とはいえ、暴力的ともいえるこの行為が、知らぬまに別の真綿に包まれてしまうのが、先に松井が言っていた「アート・シーン」なるものだ。じっさい、地域での生活にこれまでにない異様な次元を差し込むアーティストの行為を、人びとが「これって現代アートですね」というふうに、あまりにも安易にというか性急に受け容れる光景に傷つき、あるいは呆れ、海外に活動の拠点を移したアーティストもいる。飾り物ではないのだ、と。

松井もまたいくつかの地域にかかわりながら、こう述べている。「地域の人たちと

「みんな、よかったね」みたいなことは、汗臭くてあまり好きじゃないな。ぼくは格好つけなんですよ。傍《はた》から見たらおなじようなことやっているように見えるやろうけど、ぼくは地元の人が皮を剝いていかないとおもしろくないのです。「この人、こんだけ変わるんや」というところを見たい。けしかけはするけど、その人がじぶんでやったというのでないといやなんです。そういう意味では、霊媒師みたいなものかもしれんね。触媒型の。要は、かれらをどこかに導きたいという、そんな小さなところで仕事はしてへんということ」。

松井のこの言葉はたしかに、エリアーデが「エクスタシー技術と秘密の言語」（一九五三年）のなかで描いたようなシャーマンの巫儀《ふぎ》とすれすれの行為をおもわせる。エリアーデの論文は、シャーマンがおこなう動物の模倣、とりわけ裏声やトリル、擬声語などを駆使した鳥の啼き声の模倣と、それによって浸る前エクスタシー的な恍惚感が、詩的な言語創造、とくに抒情詩や叙事詩の形成に重要な役割を果たしていることを論じたものだが、このエクスタシーの渦中で、シャーマンが天界や冥界と行き来できるのは、これらを結ぶ「宇宙軸」あるいは「世界の中心」においてであるとされる。「鳥と話したい、花と話したい」という希いを口にしていた松井の制作活動においてもまた、宇宙のこの「軸」を探るというモチーフが息づいているのかもしれない。たいそうかもしれないが、「そんな小さなところで仕事はしてへん」という松井の激しい言葉に、ふとこの連想を抑えることはできなかった。松井におけるこうした世界の「軸」への帰還というもくろみは、川俣正やChim↑Pomが言っていたあの「普通」とさてどこで交叉するのかが気になるところだが、いまはまだ急がないでおこう。

のびしろ、あるいはeducere

「人が皮を剝いていかないとおもしろくない」と松井が言うときの「皮を剝く」、これに西洋語で対応するのがeducationという語ではないかとおもう。これをわたしたちは「教育」と訳してきたが、もともとはラテン語のe-ducereで、eはout、ducereはbringやdrawの謂《いい》、だからeducereはbring outないしはdraw outという意味になる。つまり、（潜在している何かを）引きだすこと、押しだすこと、咲かせること。そしてeducationとは、そのために誘惑し、焚きつけ、唆《そそのか》すこと。

松井が教育という場で憂えているもの、それは学生たちのなかに見られるある種の萎縮ではないかとおもう。かつて竹内敏晴は、悲しむべきこととして、学校におけるあの「三角座り」（体育館座りとも言うらしい）を挙げていた。前屈みで両膝を抱え込んでいるので少ししか息が入らない、あの、自発的な行動を封じられた「手も足も出ない」姿勢、「息をひそめている」姿勢である。これは「一九六〇年代のわずか十年間に、なぜか全国の公立の小中学校に一気に広まった坐り方」だという。

そういう萎縮とともに、じぶんでもよくわからない塞ぎというのもあるだろう。言ってみれば、じぶんという存在が「浮いている」「流されている」という感覚である。「浮いている」というのは、じぶんがここにいること、その理由がうまく摑めないというひりひりした感覚と言いなおしてもよい。疼いているのは若い人たちだけではない。相互扶助という文化が消失し、私的消費だけで成り立つような町で暮らすなかで、じぶんがここにいなければならない理由をうまく見つけられない専業主婦たち、じぶんがまだここにいていい理由がうまく確認できずにいる老人たち、そしていつクビを切られるか内心不安になりながらもこうした問いを封じ込めている勤め人たち。そういう意味での「浮いている」感じは、地域に貼りついているかに見えて、その実、レジから中央の情報センターにつながれているコンビニという存在と重なる。コンビニは地域への根づきを擬装しつつ、じつはその場から「浮いている」。どこに行ってもおなじ、という空間感覚のなかで、わたしたち自身もまた足を置くべきここを失っている。身体がなにか重しをかけないと干上がってしまいそうで、あるいは風船の糸がいまにも切れそうで、だからときに自傷までしてバランスをとらないともたないとぼんやり感じている……。「流されている」というのは、精緻に張りめぐらされた見えない社会システムのなかで、わたしたちがいろいろな物をじぶんで選んでいるようで、じつは選ばされているという実感しかもてない、そんな感覚だ。じぶんで思い描くよりも先に消費のメニューが用意されている、そんな社会のなかで、みずからの狂おしい欲望さえあらかじめ整流させられているという苛立ちともどかしさに包まれる。そう、日々「泳がされている」という感じである。

「浮いている」、「流されている」という感覚に深く蚕食《さんしょく》されるなかで、ひとはどうすればふたたびじぶんで潜ることができるのか、じぶんで泳ぐことができるのか。あらかじめ用意された回路のなかでみずからの存在そのものが消費されるのを拒むような出来事を、どんなふうに起こすことができるのか。

建築家・青木淳は、『原っぱと遊園地――建築にとってその場の質とは何か』（王国社、二〇〇四年）という著作のなかで、建築には遊園地型と原っぱ型の二つがあるという。遊園地型というのは、そこでおこなわれることがあらかじめわかっている建築であり、原っぱ型というのは、そこでおこなわれることが空間の中身を創ってゆくような建築のことである。遊園地でできることといえば、あらかじめ用意された遊具のどれを選択するかだけ。人と人との予測できないかかわりはここからはめったに生まれない。これに対して、原っぱや空き地には遊具などなくて、せいぜい投げ棄てられた空き缶か棒きれがあるだけ。そこでたまたま居あわせた見知らぬ子どもと、照れつつ空き缶を蹴りあったりしているうち、ふたりのあいだにあるときルールが設けられ、これまでしたこともない遊びが始まる……。要するに、原っぱでは、ひとはともかくそこへ行って、それから何をして遊ぶかを決める。行為と行為とをつなぐものそれじたいがそこでデザインされる、そういう空間が原っぱである。ここで生まれる人と空間との関係が、あらかじめ設定された都市の機能以上に成熟し、そうした関係から新たな機能が育まれてゆくというのが、原っぱ型の建築だというのである。

教育というのがもし、松井の言うように「アートの最後の砦」、「アートの最終形態」だとすれば、わたしたちはアートを、（青木の言葉を借りて）社会を原っぱに変える行為と言うことができるのではないか。アートという活動は、作家自身にもそのゴールがあらかじめ見えているわけではない。だれかがまず全体の青写真を作り、それにそってメンバーが一つ一つの作業を分担し、積み上げてゆくという、通常の事業のような方法もとらない。アートはいつもゼロから始まる。たまたま出会った人たちのあいだで、確たる見通しもなく開始される活動がその意味を生成させてゆく。だから、アートの授業では、おそるおそるという、緩い足どりも受け容れられる。だれかが加えたちょっとした変化が「それ、おもしろいやん」と喜ばれもする。少しくらい作業が遅れたからといって、まわりから冷たい視線を向けられることもない。むしろ「〇〇ちゃん、えらいこだわってるやん」とおもしろがられるくらいだ。その意味で、アートはこの時代、何かをゼロから創ってゆく体験ができる唯一の場所になっているといえる。成績の評価によって縦一列に配置されるような、そしてそれによってじぶんの存在が値踏みされるような、そういう視線からもっとも隔たった場所……。空気が弛むのも当然といえば当然だ。教育の場としてのアートに資金など潤沢にあろうはずはない。けれども、たとえ貧しくてもそれでも存在することのはげみを他者に贈り与える活動、そういう意味をアートはもっているのではないかと、松井の話を聴いておもった。

「のびしろ」という言葉がある。「飲《の》み代《しろ》」とか「身代《みのしろ》」は辞書に出ているのに、わたしの辞書が古いからか、「のびしろ」は出ていない。「糊代」とか「綴じ代」という言い方もあって、これは別の何かのためにとっておく空白という意味だ。だから正しい言い回しなのかどうかは知らないが、これからまだ伸びる余地があることとして、「のびしろ」というこの語は口にされてきたのだろう。その意味で、「のびしろ」は、種を撒いて稲の苗を育てる田としての「苗代」に通じるところがある。ちなみに、『字通』の白川静は、「代」を「更改の呪儀を行うこと」、つまりは呪器を殴《う》つこの呪儀によって禍《わざわい》を「改め、他に転移させること」とし、そこから代理・更代の意にもなるという。

この「のびしろ」を拡げるべくけしかけるのが、educationとしてのアートなのだろう。アートだからといって、ここでなにか物としての作品を創るかどうかは問題でない。アートの活動というのは、あらかじめ青写真があるわけではないので、まずは何をするかの相談からことは始まる。費用を募金でまかなうにも、まずは賛同を得られるよう事業について魅力的に説明できないといけないし、物品を調達し、保険をかけ、イヴェント中は受付や会場整理をしながら、裏方としていつも全体に気を配っていなければならない。そのさなか、撤収と打ち上げの段取りもしなければならない。そんなふうに何が起こるやもしれぬ現場で揉みに揉まれるなかで、湊町のプロジェクトで「正しいと思うことって一人ひとり違うんですね」と感慨深げに語ったあのヴォランティアの子のように、学生たちも、未知の状況のなかで素手で何かを始めること、思わぬトラブルに見舞われてもそれをなんとか凌《しの》ぐことを学んでゆくのだろう。松井がアートという教育に込めた意味も、こういうかたちでそれぞれが「のびしろ」を拡げるところにあったのだろう。

「限りなく普通なことの中に潜むもの」に着目してきた川俣正もまた、かつてこう語っていた——

作家といえども、大半は普通の人です。そんな彼らがある日どこかで一線を越えた結果として、作品が生まれる。その一線を越える場所や瞬間にぜひとも立ち合ってほしいし、一線を越えた先にあるアートの面白さを感じ取ってもらいたい。

（「AXIS」二〇〇五年八月号）

6 〈社会的なもの〉

〈社会的なもの〉をめぐって

軋む途、ゆるい途。「社会」に一方は介入し、一方はすり抜ける。それらがしかし、その活動の向こうに手さぐりでふれようとしている「社会」の別のかたちとははたしてどういうものだろうか。かれらがその「社会」の隙間にぐいと手を突っ込んで摑もうとしている《未知の社会性》とはいったい何か。

「社会」。この言葉はあまりにも頻繁に用いられるが、その意味内容についていえばあまりにも茫洋としている。いかなる形態であれ、人間がたんなる群れであることを超えてなにがしかの集合を形成している状態、それを「社会」だと考えれば、「サルの社会」から「古代社会」、「ムラ社会」、「企業社会」、はては「社会問題」まで何でもかんでも社会的なものだということになり、そうであれば「社会主義」とか「社会政策」という語は意味をなさなくなる。じっさい、「社会党」や「民主社会党」といったかつての政党名などが意味している「社会」は、あきらかにある価値的な意味をもっていた。記号や表象が何でもかんでも性的なコノテーションをもつようになれば、性的なコノテーションじたいが消失してゆくというアイロニーとおなじことがここにはある。「社会」という概念がなにか規範的な意味を蒸発させて、「人の集合」をすべて表わすというふうに無内容化してしまう。これは、「市民」の概念についても同様にいえることで、「市民」とはだれのことかと問うて、そこからその概念が浮上した歴史的な経緯を脱落させれば、「市民」は社会を形成している「みんな」、人民も国民も住民もみな「市民」だということになってしまう。「非国民」とか「非社員」というときの「国民」や「社員」が意味の限定をもつのとおなじように、「社会」や「市民」もまたある限定された意味をもつのみならず、ある規範的な概念としてあったはずだ。

いますこし詳しく見るならば、市野川容孝はその著『社会』（岩波書店、二〇〇六年）のなかで「社会的」という語について、それは「特定の価値を志向する規範概念」であったという。じっさい、ドイツ語のゾツィアール（sozial）は福祉政策的な意味合いをもち、国家による所得再分配のなかでいわゆる弱者の保護と扶助を志向する語としてある。日本の政治史をふり返れば、一九一九年に内務省地方局内の「救護課」が「社会課」に改称され、さらに翌年には地方局じたいが「社会局」に改称されて、一九二二年には内務省の外局となる。そういう経緯もあって、のちに新しい省として独立するときには当然のように「社会省」という命名が予想されたのであったが、「社会」という語は「不適当」ということで、最終的には一九三八年に、近衛文麿首相提案の「社会保健省」でも陸軍省提案の「保健社会省」でもなく「厚生省」という名で発足することになった。その背景には、「社会局」の権限強化をもくろむ動きと、一九二八年の「社会」主義者の大量検挙とがあったという。党名でいえば、普通選挙開始後「社会民衆党」や「社会大衆党」が結成され、戦後は「日本社会党」が結成されて、自由民主党と日本社会党とが与野党として対峙するいわゆる五五年体制が長く続く。この間に「民主社会党」、「社会市民連合」なども結成される。しかし、一九八九年の日本社会党の躍進後ほどない九六年にはその日本社会党も消滅してしまう。「社会」という名を冠する政党は一九八〇年代までは国会議員数で三〇パーセント前後を維持していたのが、現在では一パーセント以下にまで衰滅することになったというわけだ。ちなみに、EUでは逆の現象が起こっており、「社会的ヨーロッパ」の確立へ向けて諸国家が足並みを揃えつつあって、一九九七年には英国でブレアの率いる労働党政権が、その翌月にはフランスでジョスパンの社会党政権が、さらにその翌年にはドイツでシュレーダーの社民党政権が発足している。

こう指摘したあと、市野川は日本政治史におけるこの「社会」の消失とともに、社会学研究においても、「社会的」という概念が内包する規範性はひたすら削ぎ落とされていったという。この背景には「公共性」というものが時代とともに没政治化されてきた背景があるとも。「公共性」の没政治化というのは、人びとの意識が私的なことがらに収束してゆき「社会」そのものが没政治化してゆくこと、つまりは「肥大した官僚制と行政システムに支えられながら、人びとが自分の私生活以外には何も気にかけずにまどろんでいくこと」にほかならず、こうして「社会的」なる語はかつて「自分以外の他者への気づかいと社会全体を見渡す力に支えられて産声をあげたはずなのだが〔……〕現実の社会的な国家（福祉国家）は、それとは全く逆の帰結をもたらした」というのである。

「社会的」の収縮とは逆に、「社会的」なるものが国家に対してある程度の自律性、ときには過剰なまでの自律性を帯びる場面もあるのであって、市野川が宇城輝人とともに編集した『社会的なもののために』（ナカニシヤ出版、二〇一三年）のなかで酒井隆史が、一九二〇年代に大阪で起こった借家争議をはじめ、労働争議、部落解放運動、企業訴訟などのほとんどの紛争にいわゆる侠客が一定の「調停力」をもって介入していた事実を挙げている。かつての方面委員、戦後の民生委員らによる調整もそうである。これは「社会的」なものが内蔵する「資源」であったし、ときに談合、ボス支配、癒着といった調整の過剰として現象してきたものでもある（基調報告「日本における社会的なものをめぐる抗争」参照）。

ここでいわれているのは、あきらかに法的な次元でいわれるのではない公共性であって、公／私の二分法を超えてはたらく、あるいはその水面下ではたらく「社会的」なるものの存在がそのことで指し示されている。いや、在るか無いかという「存在」としてではなく、「生成」するものとして。こうしてわたしたちは、「社会」（society）と〈社会的なもの〉（the social）、つまりは「社会形成力」（今村仁司）とでもいうべきものとの二重性のなかで、わたしたちのいう《未知の社会性》を見てゆく必要があることになる。

徴候として現われる社会

「社会」なるものについて考えるとき、「社会」がつねに揺れ動くものであること、どこに震源があるかは定かでないままにたえず変容しているものであること、そういう変容の兆《きざ》しがとてもありふれた場所にありながら、ありふれた場所だからこそだれも気づかないでいることに、あらためて思いを向ける必要があるようにおもう。波に煽られながら、それでも波を読み、なんとかバランスを保ち、進むべき方向を大筋において見誤ることのないように。物価・株価やＧＤＰの変動、雇用形態や所得分布の変化、ここ数年のそういう「社会的変化」を数値データの解析をもとに論じることはもちろん大いに意味のあることではある。が、社会を半ば目覚めた個人的意識の集合として、あるいは制度というかたちで枠取られた個々の相互行為の総体として理解する前に、社会を動態として、つまりはつねに不透明なまま揺動する過程としてとらえるというあたりまえの視点を、わたしたちはつい忘れがちではないか。

社会はその総体が契約の体系として構築されているわけではない。諸個人が、ある法体系や法人を立ち上げるときのように、意志的に規約を設定して成り立つものではない。それは、ひとがそれの起動する理由《わけ》もわからずに巻き込まれ、押し流されてゆく、だれが指示者であるかも不明の、不透明な力動態である。それは、意識や行為の時間のみならず、習俗の時間、感情の時間、内臓的生理の時間、そしておそらくは細胞の時間までが輻輳《ふくそう》している不整合で分厚い歴史過程である。しかも、その過程は、抑圧や隠蔽、置換や歪曲、逸脱や偏向といった多次元の力学が錯綜し、一義的なヴェクトルとしてそれを読みとることも、その構造を突きとめることも不可能な、いってみればマグマの定まらぬ内圧によって褶曲《しゅうきょく》する火山脈のような様相を呈するものである。

とすれば、統計にもとづく実証的な分析よりもさらに重要な意味をもつのは、それ以前の、「社会的な緊張状態の痛点」（G・ディディ＝ユベルマン）の徴候を読む症候学的な診断力であり、地下の不可視の揺動を記録する「地震計」（A・ヴァールブルク）のような感受性だということになるだろう。

セレンディピティ（serendipity）という知的感受性について、かつてカルロ・ギンズブルグが次のような事例をあげて論じたことがある。一八七〇年代、ジョヴァンニ・

モレッリという絵画の鑑定家は、絵画の真贋と作者を鑑定するにあたり、通常なされるように画家が属している流派の様式に着目するのではなく、耳たぶや爪や手足の指の形、もつれた髪やひだの多い布といった「見過ごしやすい細部」に着目した。不用意に「手早く描かれた部分、すなわち現実を写そうとしなかった部分」、つまりは「実際にいかにあるべきかよりも、画家の想像力と的確な技量により描かれる」部分であり、そういう「個性的な努力の最も弱い部分」にこそ個性が見出されるとしたのである。ギンズブルグは論文集『神話・寓意・徴候』（竹山博英訳、せりか書房、一九八八年）のなかで、方法論的ともいえる専門科学の知がつい見逃してしまう些細な徴候に感応し、そこから推論を積み上げてゆくタイプの知が、ヨーロッパで一九世紀の末頃に人文科学の領域でいわば並行的に出現してきたという。ふとした言い間違い、失錯行為に着目するフロイトの症候分析、泥の上の足跡とか煙草の灰といったつい見過ごされがちな物に犯罪解明の手がかりを見つけるコナン・ドイルの探偵シャーロック・ホームズ、それに前世紀に広がった筆跡鑑定学や観相学、そしてなにより病跡や症状から診断する症候学、さらには新種をめざとく見つける植物採集家の勘などである。それらは総じて、些細なもの、取るに足りないもの、調べ上げたあげくの「観察の残り滓《かす》」を、何かを暗示するものとして、つまり徴候や痕跡として読んでゆく。

ギンズブルグがセレンディピティ（徴候による知）と名づけた、この、狩猟民族的ともいえる認識モデルを、精神科医の中井久夫もまたほぼ同時期に別の文脈で構想していた（『徴候・記憶・外傷』みすず書房、二〇〇四年）。中井がいうには、わたしたちの経験は、「かすかな予感とただよう余韻とりんとした現前との、息づまるような交錯」としてある。世界は、存在する事物の全体としてとらえ返される前に、まずは地平線の消えゆくあわいに現われる。この「現前の周縁に揺曳するもの」、それが、現前が具体的なある相貌を呈するにあたっての重要な脈絡となる。現前の周縁で明滅しているものとは、一つには、何かを引きだす手がかりとなる微かな「徴候」であり、いま一つは、茫漠たる現前の背景でその参照軸として浮上してくる「索引」である。そして、一方で「徴候」とともに蠢《うごめ》きはじめるのが未来への先取り的な構えをもつ微分回路的認知であるとすれば、もう一方で過去の体験を「索引」として参照しつつ判断を探ってゆくのが積分回路的認知である。このとき、前者が現前の周縁にただよう微細な変化にすばやく感応するのに対して、後者はさまざまの過去の体験を参照しつつはたらきだすからノイズの吸収力は高い。いいかえると、前者の微分的回路は、微細な変化のみに感応するため、微細なノイズを拾いすぎて大局的な把握が困難になり「誤作動」しやすいし、変化に感応しすぎて動揺がすぐに増幅するといったぐあいに全体が攪乱《かくらん》されがちで、その不安定さゆえに人をひどく疲労させる。これに対して、後者の積分的回路は、入力に対して過去のデータを参照しつつ対応するため、安定的ではあるが突発的な入力には対応が遅れがちだし、重要な徴候であるはずのものをも多くの例のなかの一例としてさまざまな入力のなかに埋没させてしまいもする。そのとき、微分的回路の突出や失調――ここでは「現前世界自体がほとんど徴候で埋めつくされ、あるいは世界自体が徴候化する」、つまり「私」は世界に安んじておれなくなる――と、積分的回路の麻痺、これらがほかならぬ「病態」となる。その一つ、離人症も、「徴候性、予感性、余韻性、索引性などを剝ぎ取られたむきだしの現前」に晒されていることとして解釈できるというのである（ギンズブルグと中井の「徴候」をめぐる議論については、二〇一四年に上梓した拙著『哲学の使い方』〔岩波新書〕のなかでいま少しくわしく叙述している）。「何か全貌がわからないが無視しえない重大な何かを暗示する」ものを息をひそめてうかがうという、中井がここで取り上げている感覚は、ギンズブルグのセレンディピティにしかと通じるものである。わたしとしては、アーティストたちを突き動かしてきた知と感受性をこの徴候的なそれに重ねあわせて考えてみたいとおもっているのだが、いまはまだ先を急ぐまい。

制御不能なものの上に

さて、不透明なまま揺動する過程という、「社会」のこの感触を現代において表わすものの一つとして、「5　ゆるい途　もう一つの」では、じぶんという存在が「浮いている」「流されている」という感覚についてわずかばかり述べてみた。ここで「浮いている」とは、どこに行ってもおなじという思いのなかで身を置くべきここを失って、身体になにか重しをかけないとじぶんという存在が干上がってしまいそうで、だからときに自傷までしてバランスをとらないともたないという感覚である。「流されている」とは、隙間なく張りめぐらされた社会システムの内部で、いろいろな物をじぶんで選んでいるようで、じつは選ばされているとしか感じられない、いいかえると、みずからの狂おしい欲望でさえあらかじめ整流させられているといった苛立ちとも、もどかしさともつかない感覚である。この二つの感触はじつは（「1「社会」の手前で」でふれた）二〇〇三年の湊町アンダーグラウンドプロジェクトという美術イヴェントにヴォランティアとして駆けつけたただならぬ数の十代、二十代の人たちの言葉やふるまいのなかにわたしが感じ取ったものだったが、その五年後のリーマン・ショック、八年後の東日本大震災と福島第一原発事故のあとには、「浮いている」「流されている」といった気分ではもはやすまず、「制御不能」といういっそう切迫した感覚として、喉口にまで噎《む》せ上がってきている、あるいは、まるで黴《かび》のように身体を覆わんばかりに繁茂しだしているとおもえてならない。

「制御不能」——。それは、わたしたちの日常が自身の意志と力ではどうにも制御しようもない基盤の上に成り立っているという、〝砂上の楼閣〟のような存在の感触である。

このような感触を駆った出来事の一つは、いうまでもなく3・11の原発事故だ。家事の一つ一つ、仕事のツール、通信や移動の手段、流通のシステム、メディアとの接続、娯楽の装置……。これらのほとんどすべてを電気エネルギーに負っているのが現代の生活だ。そこで電気の「安定供給」を図ろうと、わたしたちの社会はかつて、火力発電に使う石炭・石油資源の限界を原子力発電の技術革新によって乗り越えようとした。が、そのエネルギー供給の装置がじつは、究極的には人間には制御不能なものであることを、わたしたちは今回の原発事故であらためて思い知った。それに、この取り返しのつかない事故はさらに大きな別の枠をこの社会の未来にはめることになった。核廃棄物の処理に要する天文学的な時間と、放射線被曝へのたえざる不安である。この事故以降、国土の何分の一かが「死の大地」になる可能性、さらに事故が続発すればついに国土を去らねばならない、そんな難民になる可能性をもふくめ、わたしたちは未来をいくつかの〈限界〉のほうから考えるほかなくなった。みずからの意志と力では制御不能な装置をわたしたちの日常生活が不可欠の基盤にしているという事実に、あらためて戦《おのの》いたのであった。

いま一つ、二〇〇八年のいわゆるリーマン・ショックの頃よりおなじように制御不能なものとして浮上してきたのが、金融カジノともいうべき国際市場に翻弄されるグローバル資本主義である。ヘッジファンドと呼ばれる巨額の投機的資金と国境を越えて利を貪ろうとする多国籍企業とが市場を牛耳る世界経済においては、どの企業もグローバルな市場での死活の競争に全面的に組み込まれ、企業経営もマネー・ゲームを牛耳る機関投資家たちに拝跪《はいき》しつつなされざるをえない。秒単位の熾烈な売り買いの渦中にあって、企業の関心はいまや自組織の生き残りに絞り込まれてきている。そして、時価総額経営を強いられた企業は、株価を上げるために経営のさらなる効率化とコスト削減を強いられる。人件費を圧縮するために工場の地方移転や海外移転を加速し、そのことで（国内外を問わず）当該地域の産業構造をそっくり入れ換え、人件費がさらに低い地域が見つかればまた工場移転する。結果、地域は働き口を減らし、元の産業構造を回復できないまま崩れ落ちてゆく……。もちろん、去ったあとの地域社会の行く末に、転出した企業は責任を負うことがない。

限られた資源と富の、適切な配分と運用を意味する「経済」は、いまや世界市場での熾烈なマネー・ゲームに、それを制御するすべもなく深く組み込まれている。こういう制御不能なものの上に、わたしたちの日常生活がある。物価や株価の変動も、もろもろの格差や過疎化の進行も、流通する食材の安全性も、雇用環境や就労条件も、これに煽られ、左右される。限られた資源と富の、適切な配分と運用を意味する「経済」は、いまや殖財や投資を軸に動いており、企業活動はいまや「経世済民」（political economy）、つまりは「世を治め民を救う」という軌道から逸れている。それはもはや「経済」（経世済民）を担う公器といえる存在ではなくなっている。

このことと同時に深く潜行するかたちで進んできたのが、わたしたちのコミュニティの解体である。わたしたちの共同性は、生き存《なが》える過程をともにすることで成り立つものである。もっといえば、生き存えるために不可欠のことがら、調理、排泄物処理、出産、子育て、治療、看護、介護、看取り、防災などなどを協働しておこなうところで力をつけてきたものである。ところがこれらの《いのちの世話》ともいうべきプロセスを、人びとは行政や企業によるもろもろのサーヴィスとして消費するようになって久しい。地域から共同性が消えてゆくいちばんの要因はここにある。流通にあってはスーパーマーケットの大資本が地域の商店を駆逐してゆく。病の治療は医療と保険のシステムが、教育は学校制度が、ほぼ全面的にカヴァーする。このようにわたしたちの暮らしが行き届いたサーヴィス・システムの恩恵をこうむるなかで、「主《あるじ》」たるべき市民が「顧客」という受け身で無能力な存在になり下がってきた。

それにはこんなプロセスも並行している。資本主義はたえず拡張しつづけるなかでしか存続しえないものだが、世界市場の拡大に限界が見えだすと、次は逆流して既存の市場の内部にさらなる需要を作りだそうとする。M・マクルーハンのメディア論の概念をここに適用すれば、外破（explosion）から内破（implosion）への反転である。そういう動向のなかで、かつて消費の決定権をもたなかった十代、さらには幼児までをも、家族というコミューン的なバリアを通り越して、消費主体として個々にせり出させることになったのである。このように資本主義経済は社会のなかにあるさまざまの中間集団を、そのコミューン的仕組みを、解体してきた。

これらの苦々しい局面には、個人と国家のあいだ、つまりは地域社会や職業社会といった中間集団（コミュニティ）の空洞化という事態が深く関連している。たとえば、家族、地域社会、会社、労働組合。小さな個人と巨大な社会システムとのあいだで、いわばその蝶番《ちょうつがい》として、あるいはクッションとして、機能してきたそういう中間集団がまるで乾いたスポンジのように空洞化してきたことで、個人を護る被膜が破け、個人が社会のシステムにむきだしでつながるほかなくなってきた。いまや地域社会内部の《いのちのケア》の仕組みはほぼ瀕死状態だと言ってよい。

地方議会の空洞化という事態もまたこうした過程と相即するものだ。民生委員や自治会、婦人会や社会福祉協議会のような仕組みがもはや機能せず、かつて集票システムとしてそれに深くつながっていた地方議員は、「民意」を吸い上げる回路を見失っている。それを通して利益誘導を図ってきた住民のほうも、「民意」を押し上げる回路をあらたに組み立てる方策をうまく見いだせないまま、メディアの情報をもとに投票行動をおこなうのが、政治的なものへの残された精一杯の関与となりはてている。わたしたちの生活基盤が制御不能なものになっているという感触には、こうした「市民」としての無力感も同期しているはずである（本節の内容についてより詳しくは、二〇一五年に上梓した拙著『しんがりの思想――反リーダーシップ論』〔角川新書〕の第一章を参看いただければさいわいである）。

「社会」の発見、「社会」の消失

先にわたしは、社会を個の集合としてではなく、制度というかたちで枠取られた個々の相互行為の総体としてでもなく、諸契機が不透明なままに輻輳する動態もしくは過程としてとらえる必要を言った。それは先にあげた、社会を「存在」としてではなく「生成」という相において見るという論点、いいかえると、社会の制度ではなく社会を駆動しているもの、つまりは「社会形成力」の視点から見るという議論を承《う》けてのことである。そして社会を駆動しているそれを〈社会的なもの〉と名づけたのであった。

〈社会的なもの〉とはしかし、聞きなれない言葉である。かつてたとえばP・クラストルが『国家に抗する社会』（原著は一九七四年）のなかでle socialとして述べ、またこれとはおよそ異なる文脈においてではあるが、ハナ・アーレントが『人間の条件』（原著は一九五八年）でthe socialと概念化し、注目された。わが国では、二〇〇〇年に今村仁司が『交易する人間《ホモ・コムニカンス》――贈与と交換の人間学』（講談社選書メチエ）のなかでおそらくははじめて論じ、また近年では市野川容孝、宇城輝人らが研究会での討論記録として二〇一三年に刊行した『社会的なもののために』（前掲）で主題的に取り上げもしている。〈社会的なもの〉に先立ってまずは「社会」という語である。明治期、「社会」と翻訳されたこの語の原語はいうまでもなくsocietyである。societyはラテン語のsociusに由来し、もともとは「仲間内のつきあい」ほどの意味であった。つまりそれは「対面的で、しかも重層的な感情的負荷をもつ「つきあい」」（今村仁司）であって、相互扶助の仕組みとしてはむしろ近代語でいうassociationに近いものであった。このsocietyはやがて、資本主義社会のその後の展開とともに、企業のような、同一利害を志向する、もとはといえばなじみの間柄ではない人たちによる社会結合、さらにはしばしば「利益社会」と訳されるゲゼルシャフト一般を、そして日本語の「世間」にあたるようなさまざまの集団の総体を表わす語へと変化していった。こうした意味転換のなかで、当初sociusにふくまれていたゲマインシャフト的な語感は、むしろcommunity/communauté（共同体）という語が担うようになっていった。le socialはsociusの形容詞形socialisからじかに派生した語として、societyとは対照的な意味がしばしば込められる。socialism（社会主義）という語がその典型であるが、このsocialが価値中立的なsocietyの形容詞として流布されてゆくとともに、socialismの含意を強調するためにカール・マルクスはcommunautéないしはcommune（コミューン）の語からcommunismを構想したと考えられるわけで、その意味で、コミュニズムを「共産主義」ではなく「コミューン主義」と訳すべきだとの考えも出てくるのである。

一方、日本語としての「社会」は、日本社会のなかでどういう経緯をたどることになったか。いうまでもなく「社会」は、日本の言論史においては西欧近代との接触とともに生まれた新造語である。それはつまり「社会」に対応する現実がそれまでの日本にはなかったということである。以下、『翻訳語成立事情』(岩波書店、一九八二年)の柳父章によると、society の訳語としてそれまでの日常語でもっとも意味の近い語として多くの人がすぐに思いつくのは「世間」であった。しかし、「世間」は家族や仲間や村の外にある世界である。それは socius のような仲間内の親しい関係ではない。ということで「ソサエチー」は当初、「侶伴《りよはん》」とか「仲間」「交リ」とか訳された。じっさい、明治の前半に広く使われていた『英和字彙』(柴田昌吉・子安峻)でも「会、会社《ナカマ》、連衆《クミアイ》、交際、合同《レンシユ》、社友《イッチ》」などと訳され、仲間内の狭くて親しい結びつきとして理解されていたようである。とはいえこれでは「個人を単位とした集合」ないしは「個人 individual を単位とする人間関係」という近代的な意味は反映しえない。そこで福澤諭吉が考案したのが「交際」もしくは「人間交際」という、日本語の文脈に収まりにくい翻訳語である。福澤はあえてこの抵抗感のある造語を「家族の交際」「君臣の交際」というふうに使うことで、本来、個人の存在を埋没させており、とても対等とは言いがたい家族のなかに「それぞれ独立した、それぞれ対等の人間」の「交際」という上位概念という意味をねじ込んだのであった。「日本にて権力の偏重なるは、洽《あま》ねく其人間交際の中に浸潤して至らざる所なし。〔……〕師弟主従、貧富貴賤、新参古参、本家末家、何《いず》れも皆其間に権力の偏重を存せり」。じつに福澤にあっては、「権力の偏重」が充満している日本社会への反措定として「ソサエチー」＝「交際」なる語が導入されたのである。

そこから柳父は福澤の言語戦略を次のように位置づける――

このような福沢の「交際」ということばの向う側には、明らかにsocietyがあった。だが、福沢の思考方法は、societyの概念を初めに置いて、そもそも近代市民社会とは、などというように、そこから天降《あまくだ》ってくるような分析、批評ではなかった。いわゆる演繹的な分析、批評ではない。その逆である。日本人が日常ふつうのことば感覚を通して理解できる概念が、その根拠である。そこから出発し、ことば使いの構成の工夫を通じて、意味の矛盾を引出し、その矛盾によって新しい意味を造りだしていく。それは、単にことばの上だけでの工夫ではなく、現実に生きている意味の重みを負ったことばを操作し、組み立てていく。その彼方に、societyにも匹敵するような「交際」の意味の展望を切り開こうとするのである。

「社会」の発見まで、じつにほんのあと一歩であった。さかのぼって中村正直による

J・S・ミルの*On Liberty*の翻訳『自由之理』（一八七二年）には、societyの訳として「仲間連中」から始まって「（人民ノ）会社」「総体人」などさまざまな語があてられていた。ここで「会社」の「社」とは、「同じ目的を持った人々の集り」として、柳父によれば当時の流行語であったらしい。学識者の集まりとしての「文学社」、西南戦争時の救護団体「博愛社」をはじめ民衆のあいだでも「社」を結ぶ団体が続々と設立されたようで、「新聞社」という言い方も明治初年にすでにあったという。そしてその流行の中心に、明治六年（一八七三）設立の、福澤、中村、さらには西周、森有礼、加藤弘之らの「明六社」があった。その明六社ではsocietyの訳語として「会社」もしくは「社会」が口の端に上がるようになった。「会社」もしくは「社会」は、「目的意識をもって集まった人々の集合」の意で用いられ、あきらかに自然発生的な「世間」に対立するものとして、もはやsociusの「親しい仲間どうしの集まり」という意を超えて、今日でいう「社会」の意味に転じていった。それまでになかった諸個人の対等な関係を前提とするつながりの可能性が発見されたのであった。

が、発見と同時に隠蔽も始まった。それは、日本社会における「社会」がその後たどった二つの途に現われている。「社会」は以後、一方で「社」とか「会」の伝統的な意味を昇華させ、たんなる諸個人、諸集団の集合という抽象的な意味へとその内実を空疎化してゆく——これをいいかえれば、社会が〈国家〉と〈市場〉という、（もはや「経世済民」ではない）資本主義エコノミーの二つの構造にほとんど刈り取られているということでもある——とともに、他方では socius の原義に還って、したがってまた反体制的な運動を匂わす危険な語として流通しはじめたのだった。「社会」という新造語は、意味が乏しいがゆえに、いいかえると、「他のことばとの具体的な脈絡が欠けていても、抽象的な脈絡のままで使用される」がゆえに、流行り、乱用され、そして「危険思想」扱いもされた。そして「危険思想」扱いをされたその語すらも政治の場から退場していった昨今の経緯については、先に述べたとおりである。

〈社会的なもの〉の還帰、あるいは分断の過剰

しかし、〈国家〉と〈市場〉のあいだで、それらの構造に隙間がないほどに侵蝕されながら、しかし元をただせば〈国家〉も〈市場〉もそれを基としてしか存立しえないような、そのような基盤となる社会関係がある。そういう脈絡で、〈社会的なもの〉は、すでに部分的に述べたように、諸制度の体系としての社会、あるいは、労働力と土地をもふくめ、あらゆるものを商品化する資本主義的な市場の交換の底にある、私的利害に収斂するのではない、人びとの相互行為（interaction）の輻輳態として語りだされてきた。社会システムに対置されるものとして、そうした制度のいわば下部構造として機能してきた人びとの相互行為、とどのつまりは「社会」を生成させる基盤としてはたらき

だすものとして、ここでは〈社会的なもの〉が想定されている。society の土台は the social によってはじめて存在可能になるという発想である。単なる群れを組織へと切り換える、そのような「社会形成力」としての the social なしには、高次のさまざまな社会的秩序はついに立ちゆかないと考えられたのである。

近年、いったん企業に就職しながら離職した二十代、三十代の人たちに、地域の一角で、あるいは奥まった山村部で、友人たちと共同でささやかながらも起業する人たちがじわりじわり増えている。グローバル経済という制御不能な〝怪物〟に物価・株価の変動も就労環境も翻弄され、また成長を止めれば経済は滅びるといった社会の強迫観念に身動きがとれなくなっている現状に見切りをつけて、もういちど経済の流れを場合によってはみずから修正したり、抑制したり、停止したりできる、そういう制御可能なものに戻そうという人たちである。仕事と家族生活、仕事と地域生活を切り離さないという、本来ならあたりまえのサイズに暮らしを戻そうということかもしれないし、セイフティ・ネットは自前で準備しておかなければ生き延びられないという危機意識が彼らにそうした行動を促しているのかもしれない。公的なセクターではなく、民営化されたその代替物でもなく、相互扶助（mutual aid）のネットワークと言ってもいいし、支えあい（自立 independence ではなく相互依存 interdependence）のネットワークと言ってもいいが、自前のセイフティ・ネットを構築してゆかなければ日常そのものが立ちゆかないという感覚である。ここに見いだされるのはおそらく、だれもがこれまであたりまえのように受け容れてきた既成の体制《エスタブリッシュメント》に拠ることなく、はたまたそれに対抗しようというのでもなく、体制とは別にじぶんたちの活動のコンテクストはじぶんたちで編んでゆくという、表立つこともない静かな意志であろうとおもわれる。

ここに現代における〈社会的なもの〉の一つの徴候を読み取ることは不可能だろうか。国家やもろもろの社会システムに依存せずに、それらが別のそれらに入れ替わっても、それらに全面的に依存することなく駆動しつづける、そんなコミューン的な力を。それは静かな革命というには穏やかすぎるかもしれないが、〈社会的なもの〉という社会の原型として胎動しかけているとともに、未来に向けていわば「未完のプロジェクト」として規範的に措定される《市民社会》（デモクラシーの基底）の一つの可能的なかたちを描きはじめているとは言えまいか。というのも、制御不能なものから制御可能なものへのささやかなこの反転は、ある意味すっぽ抜けになった中間世界（コミュニティ）、つまりは諸個人の過剰な分断に対抗するものとして試みられたものだからである。人びとの意識が私的なことがらへと収束してゆき――「一人一人の自発性が私的なものへ後退していく」のが現代だと、第二次世界大戦後いちはやく喝破したのは『啓蒙の弁証法』（一九四七年）のアドルノとホルクハイマーだった――、公共的であるはずの空間がひたすら没政治化してゆくなかで、かつて「自分以外の他者への気づかいと社会全体を見渡す力に支えられて産声をあげたはず」(市野川容孝)の「社会」なる新造語が、その声をどんどんすり減らしてきた。人びとの結集どころか逆に分断ばかりが加速されてゆくそのような過程への抵抗、そうしたものとして〈社会的なもの〉がふたたび召喚されようとしているのだろう。

先にもあげた市野川や宇城らの論集『社会的なもののために』のなかで、小田川大典がカーライルの『衣服哲学』の一節に眼をとめたのも、たぶんそうした視角からだろう。その一節とは、小田川の試訳によれば次のようなものである。——「もはやいかなる『社会的な』観念も存在しない場所を、君は社会と呼ぶのか。ひとびとが孤立し、隣人と関わりを持たず、隣人に背を向け、手の届くものなら何でも摑んで『これは俺のものだ』と叫び、醜い奪い合いが行われていても、刃物が振り回されていなければ『平和なものだ』と誰もとりあわないような状態を、君は社会と呼ぶのか」。

さてその分断の過剰ということについては、齋藤純一がその著『自由』(岩波書店、二〇〇五年)のなかでこんなふうに述べている——

近代のリベラリズムが〈国家〉や〈社会〉の権力を批判するとき、その批判の照準は、主として、統合の過剰に向けられてきたと言える。それは、国家や社会があたかも個人を超えた一つの実在であるかのように見なされ、諸個人の生が、その統合——

同化や動員――の力に巻き込まれることに自由への脅威を看取してきた。しかしながら、そうした集合的な「主体＝実体」が人びとの生に及ぼす統合の力が低下し、いまや統合の過剰というよりもむしろ分断の深化によって自由に対する制約や剝奪が惹き起こされているとすれば、リベラリズムの批判はその標的を失うことになる。国家の権力は、依然として、自由にとっての脅威の一つであるが、それは、人びとの生きる空間の分断を与件とするものに変容しつつある。このことは、他者が、自由を脅かす敵として再び浮かびあがってきている事情とも密接に関係している。

昨今のヘイトスピーチを予見するような発言である。そしてこの発言は、〈社会的なもの〉を〝ネオリベラリズム〟と対抗しうる政治原理として示唆してもいる。齋藤はH・アーレントにならって、「自由」を「主権性」と等置すると、「自由」は人間における複数性という存在の条件を破壊せざるをえないと考えている。他者への依存はただちに不自由であるわけではない。「自己」を護る自由はけっして「自己隔離」としての自由ではないのであって、そうした考えからは、「助力や保障」(help and security)を通して他者とともに何かができる自由というものが見逃されている。同一であることの自由ではなく、「他のように」という「非決定性」の契機と、その相互触発とをふくんだ「自由」が抜け落ちている、と齋藤はいうのだ。ここでは、《自律》の自由が「内」からの必然によって規定されていたのに対して、偶然という契機が「自由」概念のうちに導入されようとしている。他者にさらされ、ときに他者に身をあずけることで、つねにおなじ「わたし」であることから放たれる可能性としての「自由」が、である。

わたしたちは往々にして自己という存在の連続性にこだわる。しかし、連続性はみずからによって所有された過去にみずから括りつけられるということでもある。この同一性の檻から放たれる自由というものはたしかにある。その自由は、じぶんとは別の存在、つまりは他者との偶然の遭遇によって、他者のほうからいわばわたしに贈られるものである。が、わたしの存在もまた他者に自由を贈る可能性がある。「自己の自由の擁護」ばかりへと閉じるのではなく、「他者の自由の擁護」へと開かれるということも、そうした遭遇のなかでこそ生まれる。が、後者の自由は、その相互サポートの過程じたいがこの社会では超複雑なシステムとして、匿名のまま、いわばオートマティックに起動するので、そこにこじ開けるべき隙間を見つけるのは至難のことである。

構造とコムニタス

二〇一一年三月、東日本が激震に見舞われたときのことを、仙台で被災した友人が「まちが突然、開いた」と語りだしたことがある。すさまじい余震が続き、停電になったままなので、暗闇のなか独りでアパートにいるのが怖くなって、夜になるとみな街に出てくる。道路に群衆ができ、その人たちは道にしゃがみ込んで夜明けを迎える。そんなときに蹲《うずくま》っている人、傷を負っている人がいれば、「大丈夫ですか？」とだれかれとなく声をかけあう。そこには地位も職業もなく、貧富も老若もなく、そういう社会的な属性をすべて外してだれもがたがいの身を案じあい、手を差し伸べあう、そうした情景がしばらく見られた。そのことを友人は「まちが突然、開いた」と表現したのであった。

すさまじい災害の後、壊滅状態のなかで、それまでの社会秩序が一瞬にしてチャラになり、人びとはほとんど無差別で平等な境遇に置かれる。そのなかで人びとはたがいを気づかい、無償で助けあうという、一種「負の祝祭」とでもいうべきものが、出現する。災害後のそういう相互扶助の共同体の出現を「災害ユートピア」と呼ぶ人もいる。いうまでもなくしばらくして復旧へと人びとが動きだしはじめると、みな職場に復帰し、そのビルの入口にはガードマンが立っていて……というふうに元の秩序が徐々に回復し、開いた街はふたたび閉じられていったのだが。

あらゆる社会的属性が解除されるこの「負の祝祭」を、ヴィクター・W・ターナーはかつて『儀礼の過程』（一九六九年）のなかで《コムニタス》として捉えた。ターナーがいうコムニタスとは、災害時にかぎらずたとえば民族儀礼や宗教運動、あるいはヒッピーのコミューンなどで見られる同質的で平等な、そしてときにたがいに匿名のまま私的な財産も放棄しあう、「一致」（unison）と「親交」（communion）に満たされた集合体のことである。そういう儀礼や運動のなかでは、あらゆる序列は撤廃されて全員がおなじ身分水準に引き戻され、身分も職務も解除される。また全員が同胞であることから、ときに、揃いの衣服の着用を、婚姻関係や家族関係の抹消を求められもする。さらに社会の仕切りをいったん破壊するために、たとえば王と民衆、男と女、成人と子どもの役割の逆転や、身分を解除するための仮面の装着もおこなわれる。ちなみにわたしが生まれ育った町には、節分に老女が童女の格好をして神社にお参りする習わしがあったし、近隣の町には若衆が女装して練り歩く祭もあった。そこでは個人が社会の構造や仕切りからいったんみずからを解除し、その〈外〉に立つことから、字義どおりエクスタティックな体験がともなう。そう、忘我（ecstacy）と実存（existence）へと誘《いざな》われる体験である。そのようなコムニタスを、ターナーは、分節された諸部分へと構造化された社会（「閉ざされた社会」）に対置する。〈社会的なもの〉と〈社会構造的なもの〉というふうに。

コムニタスはふつう、社会構造の「裂け目」や「周辺」や「底辺」に生起するものである。それは「境界性 liminality（limen 敷居〔引用者注：ラテン語〕）において社会構造の裂け目を通って割り込み、周辺性 marginality において構造の先端部に入り、劣位性 inferiority において構造の下から押し入ってくる」（冨倉光雄訳、思索社、一九七六年）。そしてこうした「境界性」「周辺性」「構造的劣位性」のなかにこそ、神話などの象徴体系やアートが頻繁に発生するとターナーはいう（この点については、追って〈社会的なもの〉とアートの関係を問うときに立ち戻る）。

各人の生活が「構造とコムニタス、また、状態 state と移行 transition を交互に経験する」ものであるのとおなじく、社会もまた、「ひとつの事物というよりもひとつの過程」（傍点引用者）、つまりは「構造とコムニタス（反構造）という継起する段階をともなう弁証法的過程」であると、ターナーはいう。社会のこの「弁証法」は、いってみれば社会の「振動」のようなもので、コムニタスはつねに「分類」と「構造」を超えようとするが、そのコムニタス的経験によってふたたび活力をえた構造へとやがて戻ってゆく。

このとき、「身分 status の逆転は〝無秩序〟anomie を意味するものではなく、ただ、構造を保持するための新しい見通しを意味しているにすぎない」ことに注意する必要がある。構造をコムニタスへと移行させるということは、「社会構造の基盤となっている分類の原理や秩序づけの原理を更正させる効果を儀礼がもつ」ということにほかならないからだ。構造化の原理は「転覆」されるどころか、そのことで逆に「強化」されるのである。身分の逆転はその（一時的）逆転という側面でだけ意味をもつのであって、だからターナーは「人生の危機における儀礼のリミナリティを〔……〕悲劇にたとえるならば――両者ともに、謙虚さ、離脱、苦痛を意味するからだ――、身分逆転の儀礼のリミナリティは、喜劇にたとえることができる」ともいう。じっさい、徹底した平等をめざすコムニタスは、それが持続するにつれて、内部に専制主義や極端な官僚主義といった「構造的硬直」をしばしば引き起こす。

しかし、わたしの関心は「振動」を経てのこの構造の「更正」もしくは「強化」にあるのではなく――それはターナーも見切っていたように「喜劇」にすぎないし、そのときアーティスティックな活動も装飾へと引き戻されてしまう――、構造変動のプロセスそのものにある。その点では、最後の「構造的硬直」の指摘は重要で、〈社会的なもの〉を〈社会構造的なもの〉に対置することがそうそう単純にはできないことを示している。構造とコムニタスの二項対立がこの構造にとって表面的なものであること。構造じたいの歪《ひず》みや褶曲《しゅうきょく》を介さずには、あるいはそれに巻き込まれることなしには歴史的な変動も起こりえないこと。そういう構造の惰性とでもいうべきもの、構造それじたいの鈍重性に着目することなしには、アートと《未知の社会性》の関係についての考察も上滑りしてしまうだろう。

7 〈はぐれ〉というスタンス

〈構造〉と〈反構造〉

問題はこうである。アートはいったい何の触媒であろうとしてきたのか？　何の結晶剤になろうとしているのか？　アートは社会のどのような間隙から噴出もしくは浸潤してきて、どのような水準、どのような位相で「社会的な緊張状態の痛点」を触知し、かつその構造変動のプロセスにかかわってゆくのか、かかわってしまうのか？

社会は生成する。その社会の生成のダイナミクスを、V・W・ターナーは構造とコムニタスの相互補完的な過程《プロセス》のなかに見たのであった。一方にシステムないしは枠組みとしての制度があり、他方にそれらを揺さぶり、毀《こわ》し、再編成してゆく活動のプロセスがあるというふうに、である。しかしこのダイナミクス、構造とコムニタスの両極性は、内へと閉じている。そのことを指摘して「6〈社会的なもの〉」を終えた。このことの意味するところをもう少し敷衍《ふえん》するところから、議論を続けたい。

狭い範囲での見聞でしかないが、わたしはドイツに滞在中、二度カーニヴァルの季節を経験した。一九八〇年代の初めの頃である。マンハイムの郵便局に行ったときは、それがカーニヴァルの初日だとはつゆ知らず、窓口に立つと、顔を縦に半分、金色と黒色に塗り分けた局員が出てきて度肝を抜かれた。デュッセルドルフでは、路上で見ず知らずの男のネクタイを鋏で切ってよいという風習を目撃したし、親父さんの背広を着た中学生くらいの女子と行き違ったこともある。南ドイツのある町では、大仰な仮面をつけトーガのような長い衣裳を着込んだ町民の行列があって、分厚い帳簿のような本と先に房のついた長い杖をもっていた。観衆のだれかれとなくに本を開いて何かしきりに語りかけている。あとで聞けば、この時期にかぎって町民は町長の悪行を事細かに告げ口してよいのだそうである。また婦人を見つけると、杖の先の房を婦人の顎の下に差しだし思わせぶりにくすぐる。すると婦人は顎を上げて、うっとりと恍惚の表情をするのが決まりなのだそうだ。

要するに、ある期間をかぎって、人びとがその社会的地位や長幼、性別を、象徴的に転覆する行為におよぶ、そのような風習である。ふだんはしてはならないことができる、いってみれば無礼講である。こういう社会過程をターナーはコムニタスと呼び、これに類する事例を『儀礼の過程』のなかでヨーロッパ、アフリカ、インド、アメリカなどから数多く引いている。

ターナーによれば、コムニタスは、社会のさまざまの制度上の仕切り《セグメント》を人びとに跨ぎ越させること、あるいは溶解させることでいったん無効にする、そういう動的過程として現われる。この跨ぎ越し、ないしは溶解の過程は、既存の制度的な秩序を反転させるというかたちで進行する。そしてこれを、ターナーは、「身分逆転」(status reversal)の儀礼と「身分昇格」(status elevation) の儀礼という二つの対照的なタイプを例に分析している。

まず、わたしが見聞した事例にあたる「身分逆転」。これは先にも述べたように、社会的地位やカースト、年齢差や性別、富や権力といった既存の階層組織《ヒエラルキー》を無化ないしは「水没」させてしまうような反構造的な集団行為であり、「劣位の人たちが優位の人たちに悪口雑言の限りをつくし、ときには、肉体的な虐待を加えることさえなされる」。階層組織が内蔵する諸カテゴリーとそれに連動する価値感情を揺さぶり、蹂躙《じゅうりん》する行為であるわけだが、それを思想として表明しようとして、普遍的なイデオロギー運動に参入することもあれば(「人類みな兄弟」を謳う新興教団や無所有を掲げるコミューン集団、あるいは現在ならネット共同体も?)、ヒッピー・ムーヴメントのような既成の価値秩序からの離脱《ドロップアウト》の行動へとばらばらとなだれ込むこともある。

こうした身分逆転の儀礼は、ターナーによれば、「構造の秩序を再確認」するためだけでなく、「社会を未分化で同質的なひとつの全体」へと転換するものであって、ここでは「個人は相互に全人格的に関わり合いをもつのであり、身分や役割に

〝仕切られた《セグメンタライズド》〟存在としてではない」。また社会的な役割の象徴的な反転のみならず、社会を外から攪乱《かくらん》する《異者》に変装するという方法もよく用いられる。万聖節の宵祭（ハロウィーン）における子どもの仮装もその一つである。ここで子どもたちは、魔女、いたずら小鬼、化け物、妖精、屍骸、骸骨、地に住む精霊といった「魔物」に扮したり、強盗や死刑執行人の仮面をつけたりする。

その場かぎり、その時かぎりで許されるこうした「無法」のふるまいが、多くの社会では、そのしこりを定期的に除去するもの、いってみれば社会のガス抜きをするものとして、年中行事に組み入れられている。

これに対して、コムニタスのもう一つのタイプ、「身分昇格」の儀礼は、文字どおり、制度化されたシステムのなかで低い地位から高い地位（たとえば政治的な役職とかメンバー限定の結社やクラブの会員）へと上昇するときに司どられるものである。

アフリカ、ガボンのある部族が新しくじぶんたちの王を選ぶときの様子について、ターナーはP・B・デュ・シャイユの次のような記述を紹介している——

かれら〔人民〕はかれ〔王の候補者〕を幾重にも取り巻き、性質《たち》の悪さでは最高の群衆が思いつくありとあらゆるやり方で、かれに乱暴のかぎりをぶっつけ始めた。あるものはかれの顔につばきを吐きつける。ある者は拳骨でかれを叩く。あるものは蹴る。

あるものはひとを、むかつかせるものをかれに投げつける、うしろの方にいる運の悪い連中は、ことばでしかやっつけることができないので、かれをはじめ、かれの父、かれの母、かれの姉妹や兄弟たち、かれの先祖をつぎつぎと溯ってその始祖にいたるまで、呪いに呪う対象とする。第三者がこの情景を見たら、間もなく王位につくはずのこの男の生命に一セントだって賭ける気にはならないであろう。（『儀礼の過程』）

即位儀礼における集団的なしごき、についてターナーが挙げている例は枚挙にいとまがないくらいだが、別の部族の割礼儀礼についての報告（H・ジュノーによる）も一つ引いておこう――

ツォンガの少年たちの割礼儀礼では、少年たちは、「ほんのちょっとしたことで……指導者たちにひどく叩かれる」。少年たちは寒気にも耐えさせられる。かれらは六月から八月までのうすら寒い三ヵ月のあいだ、毎晩、一晩中、裸で仰向けになって眠らなければならない。かれらは加入礼《イニシエイション》のあいだずっと、一滴の水をすら飲むことも厳しく禁じられる。かれらは吐き気をもよおすほど〔……〕無味でいやな臭いのする食物を食べねばならない。少年たちは、その両手の指と指のあいだに棒をはさまれ、屈強な男が両手でその棒の両端をつかみ、ぎゅっと握って少年たちを持ち上げる、といっ

た厳しい体罰も課される。かれらの指は締めつけられ、なかば折れんばかりである。（同前）

身分の永久的な昇格を得るための儀礼には、多くの場合このように、身分の下の者からの攻撃にさらされる過程が組み込まれている。「兵隊たちが晩餐のときに士官や下士官の給仕を受ける」イギリス陸軍の慣習もそういうものだとターナーはいう。昇格が約束される者をこのようにいったん、いわば社会の底辺に置くというプロセス、いってみれば艱難苦行にみちた修練や修行の過程を、社会はなぜ設定してきたのか。「身分の階段を昇るものは身分の階段よりも下に降りてゆかねばならない」という考え方が根底にあるというのがターナーの解釈である。修練者たちはここで、「社会的に容認された形の身分が一切ない、ないしは、そういうものより下にある、依然として社会的ではあるひとつの条件《ありかた》に還元される」、つまりは「ヒトという素材に還元」されるというのである。

いうまでもなくこれは、社会の鞏固《きようこ》な階層秩序を再活性化するために、それをいったん解除するために執行される集団的なコムニタスのふるまいである。これらはその階層秩序を昇格し、それを将来担ってゆくはずの者が現在帯びているさまざまの社会的属性をそっくり剝ぎ取る。いってみれば彼を、その日常生活の領域からそっくり「隔離」するのである。彼を「ヒトという素材に還元」するとはそういうことだ。そのために、彼は「財産に関する身分や権利を識別させるものを一切〝剝奪〟される」。さらにそのために、顔料や仮面でまったくの異者へと「変装」させられる。そのことで、「〔当該社会の〕構造の形式は、利己的な諸属性を剝ぎとられ、コムニタスのいろいろな価値と結びつくことによって純化される」とともに、「利己的な争いや匿された悪感情によってずたずたにされた一体性」が回復されるというわけである。

このプロセスは、「社会構造の基盤となっている分類の原理や秩序づけの原理を更生させるという効果」をもつと、ターナーはいう。そしてそのかぎりで、構造／コムニタスの両極性は閉じたものだといえる。最終的に相互を否定するものではなくて、むしろたがいに補完しあうものとしてあるからだ。これらコムニタスのふるまいが年中行事として当該社会に組み込まれていることからもそれはわかる。人びとは、こうしたコムニタスを経て構造が活力を甦らせたあと、その構造へと「醒めた復帰」をおこなう。明暗、高低、左右、旧新、内外、自他……といった二項対立とおなじく、それは対立する項に言及しないでみずからを同定することはできないのである。

構造とコムニタスの関係は、ターナーにおいては、その著書の副題が示しているように、〈構造〉（structure）と〈反構造〉（anti-structure）の相補的な関係として捉えられる。そのかぎりで、コムニタスは、階層秩序（人びとのカテゴリー的分割と等級づけの秩序）の定義づけを転覆するのではなく、強調するものである。それは、「構造の骨格を温存させる」ないしは「構造を強化する」だけで、システムそのものの存立を問題化するものではない。いってみれば、次にギアを入れるために、いったんギアをニュートラルへと解除するようなものだ。

コムニタスは構造を転覆するのではなく、それを強調するという性格をきわめて露わにトレースしている例、つまり「劣位者が優位者の序列やスタイルを装っている」例をもターナーは挙げている。あの《地獄の天使《ヘルズ・エンジェル》》である。この「ならず者」たちは、「港湾労働者、倉庫業者、トラック運転手、機械工、事務員、および賃金即日払いで忠誠心を要求しない仕事に従事する自由労働者」などからなる集団だが、〝まともな《ストレート》〟世界に住む《一般人《シティズン》》とは異なる者としてみずからを定義づける。つまり構造の外にいると称するのであるが、ターナーによれば、それは「構造の模写」あるいは「構造というゲーム」をしているのであって、会長もしくは総長、その「夫人」、書記長、会計、護衛といった身分をしっかりトレースしているのである。

はぐれゆく人びと

社会構成の基盤となるフォーマット、いわゆる「初期設定」を更新する過程というのは、こうした〈構造〉と〈反構造〉という両極が相互に補完しあうという閉じた構造からはむしろはみ出てゆくところにこそ生まれるものであろう。いいかえると、コムニタスが構造を再活性化する局面ではなくて、その相補性の隙間、つまり、社会の構造秩序をずらそう、あるいは組み換えようとするときにさまざまの次元で発生するその隙間にこそ着目する必要があるだろう。過去の思想家たちはそれを、人びとの意識から一貫して外されてきたもの、ないとされてきたもの、たとえば、《プロレタリアート》（無産者）という存在に、《無意識》という次元に、（レヴィ＝ストロースのいう、ターナーとは異なる意味での）《構造》に、あるいは《アフリカ》という形象に、要するにわたしたちの社会の外輪山のさらにその〈外〉に探ってきた。

〈社会的なもの〉をめぐってわたしがここで着目したいのは、「ならず者」の閉じたコムニタスではなくて、むしろ「はぐれ者」とでもいうべき人たちの開いたコムニタスである。

「はぐれ」という語がある。「逸れ」と書く。「連れの人を見失って、離ればなれになる」ことと、辞書にはある（『新明解国語辞典』第七版）。たとえば、親にはぐれる、一行からはぐれることとして。「……する機会を逃す」という意味で、「食いっぱぐれる」というふうに、「はぐれる」が接尾語的に用いられることもある。元の動詞「はぐる」は、覆っているものをめくり返すという意味で、カレンダーをはぐる、座布団をはぐるという。離脱もしくは脱落することと、めくり返すということ。この二義が「はぐれ」にはふくまれる。

これに似た語に「はずれ」がある。外れ、つまり、中心から離れた所、主要な範囲から逸《そ》れた所、あるいはその先の途切れた所、途絶えた所であり、ときに隙間も意味する。併せていえば、「外れる」とは、当たらないで逸れること、正規の地点からずれていること、圏外に位置すること、期待した通りの当たりが得られない状態などをいう。「人並み外れた」といえば、それは普通（オーディナリー）の外にあること、つまりはextraordinary（尋常ではない）ということである。「外す」ということにも「逸らす」という意味があって、席を外すとき、梯子を外されるとき、羽目を外すとき、狙いを外すとき、などがそうである。「はずれ」はこのように離心や逸脱を強く含意する。

こういう「はぐれ」や「はずれ」の形象をポジティヴに捉えかえそうと提案している人がいる。二〇一四年末、『コミュニティ難民のススメ――表現と仕事のハザマにあること』（木楽舎）を上梓したアサダワタルである。

「あなたいったい〝何屋さん〟？」

ついこう訊かれる仲間がなぜか彼の周辺には少なからずいる。その人たちをインタヴュー取材した本である。

それはこんな文章から始まる――

今、この序章を、東京のとある不動産会社の記念パーティの場で書いている。優に、100人以上はいるだろうか。ここにいる理由は、2時間後にライブパフォーマンスをする予定だから。周りのほとんどが建築、不動産関係者、あるいはデザイナーが多いなか、ソファーに座ってひとりMacBookを立ち上げ、カチャカチャ書き始めたわけだ。一言で言えば〝アウェイ〟ってことなんだろうけど、なんてことはない。だって、僕はいつだってどこに行ってもアウェイなのだから。

これは何もいじけて言っているわけでもなく、また「あえて誰ともつるみません」みたいな上から目線でもない。なんでアウェイになるかと言えば、そっくり裏返して〝ホーム〟と呼べる場所がないからだ。多くの社会人にとってのホームとは、まず何よりも〝会社〟であったり、あるいは自分の〝専門分野〟であったり、同じ専門性や価値観を持った人たちが集まる〝業界〟だったりするであろう。でも自分はまずフリーランスだし、かつ誰もが認知しやすいという意味での専門性を持ち合わせていないし、それゆえ業界的な帰属感もかなり薄い。

（『コミュニティ難民のススメ』）

文筆家、演奏家、編集者、プロデューサー、ラジオ・パーソナリティ、福祉NPO理事、大学非常勤講師などなど何足もの草鞋を履きつつ、しかもこの時点で大学院在学中でもあるというので、行く先々で、たとえばこのライヴが済んだあとも、言い回しはさまざまだが、「ところで結局、あなた一体〝何屋さん〟?」と訊かれるのだという。

この書きだしにふれて、わたしはすぐにW・ゴンブローヴィッチの『フェルディドゥルケ』(一九三七年)という小説を思い出した。青二才、未熟者……。要は何者かとしてとんと特定《アイデンティファイ》できない存在をめぐる小説である。


「ねえ、ユーゼフや、」モゴモゴとモゴモゴの合間におばさんがたはこう言うのだ。「ものにはね、切りというものがありますよ。世間の口だってありますからね。もしお医者になりたくないというのなら、せめてものこと、女たらしか、馬気違いにでもなれないの? ただね、こう、はっきりしてもらわなければ……はっきりと……」

(『フェルディドゥルケ』米川和夫訳、平凡社ライブラリー、二〇〇四年)


ユーゼフは「規定しようのない曖昧さ」を漂わせることによって、周りのおばさんがたを苛つかせる存在である。おばさんがたは彼がまとまりもなくふわふわしていること、つまりは彼がだれでもないことに苛立っている。

アサダもまた、ユーゼフとおなじく、「世間から認められる「なにモノかにならねばならない」〔……〕という強迫観念を知らず知らずに刷り込まれ、〝こういう状態=コトでありたい〟と願う思考回路の芽が自然と摘まれてしまうという状況」に、おばさんがたに劣らぬ苛立ちというか、漫然とした不思議さを感じている。そしてこの本のなかでアサダがインタヴューしている相手もまた〝何屋さん〟かがとことん不明な人ばかりである。

銀行員でありながら、その銀行のアドヴァイザーも務め、企業間、産学、官民、地域などの連携もしくは協働事業のプロデューサーであり、コンサルティング・セミナーも手がけ、自治体のアドヴァイザーや大学の客員教授でもあるような人。〝きっかけ屋〟を名のり、一級建築士としてさまざまのリノヴェーション事業を手がけるとともに、ラジオやテレビの番組企画・制作にかかわり、アーティストマネージメントにも精を出す人。イヴェント企画やフリーペーパーの発行に携わったあと、職業訓練センター職員として、就職困難な若者を対象としたコミュニケーション講座やNPO支援事業にかかわると同時に、自宅の一室を開放してコミュニティサロン「2畳大学」なるものを開講し、これを発展させて、借り上げたシェアオフィスをさらにシェアする事業にも取り組む人。英国の芸術大学で学び帰国したあと、NPO法人に勤務して障害者福祉サーヴィスや文化事業に取り組みつつ、自治体の障害者芸術文化祭や地域づくりを推進する人材育成事業の企画・運営もこなしてきた人。「デザイナーのふりをした学者」として、地域のものづくりのブランディングから都市計画や教育のアートディレクションを手がけるとともに、発酵醸造文化を喧伝する絵本を作ったり、セミナーを開くのみならず、ついに

「地営業」を提唱する会社まで興した人、などなどである。

こうした人たちは、「どこに行ってもアウトサイダー、あるいは〝イロモノ〟、〝キワモノ〟」として扱われざるをえないとアサダは言う。既存の社会の文脈にうまくはめようがないからである。この社会にうまく位置づけられないからである。こうしてコミュニティの「ハザマ」に否応なく立たされる人たちである。「〝ホーム〟を離れた活動をすることによって、コミュニティとコミュニティの〝ハザマ〟へと途端に迷い込み、互いの常識の間で〝難民〟と化してしまう」人たち。しかしアサダは、そういう帰属先の杳《よう》として見えない人たちこそが、この「ハザマ」をむしろ「ハブ」に変え、そういう交差路、そういう触媒となって「さまざまな人たちの関係性を再編集する」可能性を深く宿す人たちだと言う。いってみれば、「コミュニティ難民」、つまりnowhere manはここで、さまざまな関係性を紡ぎだし、ダイナミックに交差させるその結節点としてのnow-here manとして、逆に面《おも》を立たせる……。アサダはたぶん、そう言いたいのだろう。

触媒になる?

先に例の筆頭に挙げた銀行員も、「銀行が文化発信力のあるラジオ局と組むことで、アーティストを発掘、フィーチャリングし、同時に銀行のブランディングにも繋げてゆく」というややこしいプロジェクトに取り組んでいる人に見えそうだが、その実、「お金を貸すだけでない、さまざまな分野との協働が実は〝金融の本質〟なんです」という、ばりばりの正統派の銀行員なのである。「いまこそ銀行は、金融のための金融を目指すのではなく、社会のための金融を目指すべきだ」とし、そのために必要なのが「コミュニティを越境し〝触媒〟的な働き方をする銀行員の存在である」と、彼は言い切る。そうだからこそ、「自分のコンセプトに、自分の芯に、より一層近づいていくために、逆に拡散していくこと」が必要になるというのだ。

まとまらなさの肯定というよりもむしろ、まとまらなさの称揚である。「アイデンティティは絶えず揺らいでもいいのだ」とアサダはいうが、ほんとうはもう一歩踏み込んで、「アイデンティティは絶えず揺らいだほうがいいのだ」といいたいのだとおもう。そのもう一歩を踏みだした人がいる。先に四番目に挙げたアーティスト、群を抜く「先駆性」の例としてアサダがこの本のなかでもっとも熱く語りだしているアーティストである。

そのひと、鈴木一郎太は、重度の知的障害のあるひとりの児童を個人として「全面的に肯定すること」をコンセプトに構想されたNPO法人クリエイティブサポートレッツ（浜松）の活動を、その主宰者・久保田翠とともに担ってきた。久保田は自身とおなじように障害のある子をもつ七人の母親たちとともにヴォランティア団体「レッツ」を立ち上げた。「障害のある子どもを持つ家族は孤立しがちで、親もなかなか社会参加できないという状況に対して何とかしようとアクションを起こした」のである。かつて美大で建築を学び、浜松で環境デザインの仕事をしていた久保田は、この課題をアートという手法で解決したいと考えた。そこに合流したのが、十年にわたる英国でのアート修業を切り上げて帰国したばかりの鈴木一郎太である。

鈴木はまず、久保田の子、重度の知的障害児である「くぼたたけし」（久保田壮）の名をとった公共文化施設「たけし文化センター」の企画・運営に乗りだす。紙芝居、音楽イヴェント、展覧会や料理会、古本頒布会、アートと福祉に関する研究会などを次々と催すのだが、「すべての機能が「たけし」基準で設置して」ある点が他ときわだって違うところである。この点についてたけし文化センターのパンフレットから言葉を引いておく。――「すべての機能が「たけし」基準で設置してありますので、土台のところで「普通の公共施設」のルールとはすべて異なります。そのルールの多くは明言化することはできません。なぜならば、そうしたルールは個人個人それぞれの関係や、願い、利用方法によるところが大きいからです」。

鈴木はこのほかにも、障害者たちの就労移行支援や障害のある子どもたちの放課後デイサーヴィスなどを手がける福祉サーヴィス事業所「アルス・ノヴァ」を立ち上げたり、「全国障害者芸術文化祭」のディレクションをしたり、「支援」人材の育成プログラムをコーディネートしたりと、傍目には、アートをしているのか福祉事業をしているのか見分けのつかないような活動を多面的に展開してきた。そのセンターが企画するワークショップにわたしも二度招いていただいたことがある。最初のそれは閉鎖された百貨店の立体駐車場の一角の、吹きさらしの空間で開かれた。展覧会かカフェかおしゃべりの集いかの見分けもつかないその場のゆるさと風通しのよさがとにかくつよく印象に残っている。

アサダはまさにその見分けのつかなさ、そのゆるさを評価する。「レッツのやってきたことは、誤解を恐れずに言えば、障害のある人たちの持つ〝わけのわからなさ〟と彼ら彼女らと共に過ごす〝ぐちゃぐちゃ〟した日常を、〝ただ〟見せているだけなのだ」と。が、その「見せているだけ」というのがポイントで、鈴木は「その〝場〟をちゃんと社会化することに関して、徹底的に向き合っている」とアサダは言い切る。

アサダによる鈴木の活動の記述を読みながら、わたしはこれまで書いてきたこととの奇妙な符合にそわそわしてきた。志賀理江子についてわたしが書いてきたこと、これにぴたっと重なるのである。

「この美しい松林と海は、幻想やファンタジーではなく「社会」だったのです」という志賀の言葉に、わたしはまず衝撃を受けた。なぜ松林と海が〈社会〉なのか、つづいて彼女は「「社会」とはたったひとりの人という意味でもあると思う」と書いていたが、

「たったひとりの人」がなぜ〈社会〉なのか、そんな問いでもって志賀の仕事について、わたしは問いを開始したのであった。そして、北釜の人びとから「「わからなさ」をいただく」ということ、北釜の人たちから「なぜ」と問われないこと、これが志賀の新しい制作を支え、かつ北釜の人びととの〝連帯〟の綴じ目となっていたのを、最後に確認したのだった。アサダが、わたしとはまったく別の文脈で、鈴木の活動を記述する際にこだわったのも、なんとおなじこの二つなのである。

それはまず、鈴木が草したパンフレットのなかのこんな言葉である。——「久保田壮が存在したことにより、久保田（翠）が動かされ、人が動き、レッツが世に生み出されたという、個人の存在から社会的なことが起こったという事実」（NPO法人クリエイティブサポートレッツ『たけぶんDot Artsの起草まで』）。いま一つは、右で引いたアサダの感想、「障害のある人たちの持つ〝わけのわからなさ〟と彼ら彼女らと共に過ごす〝ぐちゃぐちゃ〟した日常を、〝ただ〟見せているだけ」というときのその「わけのわからなさ」である。「あまりにも取っ散らかっている」という印象をあたえかねないその活動の「わかりにくさ」に、アサダは感応したのである。レッツで六年間、さまざまの補助金による助成を受けながら、「人が人を許容する気持ちを、社会のいろいろな場面に織り込む仕事」に打ち込んできた鈴木は、レッツを退職するにあたってその動機を次のように語っているが、ここでは鈴木自身が「割り切れなさ」という語で「わけのわからなさ」にふれている――

例えば、さまざまな助成金や補助金を申請する際に、目的を明確にして言語化することで、自分たちの活動を、社会の中の何かしらのカテゴリーに入れ込んでいかないといけないわけです。そうしないと通らないわけですから。これは運営上大事なことでもあるけど、同時に自分たちの活動を必要以上にわかりやすくしてしまうというジレンマもある。何かの文脈にカテゴライズしないと社会化できない、という傾向自体をずっと窮屈に感じていたんです。レッツが障害者福祉という文脈を中心に置くのは当然だし、そのことによって深められてきたことがたくさんある。だけど、自分は改めてもっとその〝割り切れなさ〟に向き合っていきたいと思いました。

（『コミュニティ難民のススメ』）

「わかりやすく」するためにじぶんたちの活動をカテゴライズしたり、割り切ったりする前に、「「なんかよくわからないけど、今これをやっておこう」と思える妙な感覚」をこそ保持していたいという鈴木の吐露に、アサダは、「分野」ではなく「越境性」そのものを仕事としようとする鈴木の矜持、あるいは密かな情熱を見る。「わけのわからなさ」をきちんと、そして柔軟に担保しておくこと。そのことが鈴木の活動の「越境性」を支えているとアサダは考える。それは確定したかたちを具えていないのだから、不確かなもの、おぼつかないもの、壊れやすいものである。が、じぶんから関係を求めることで結果として苦しい立場に立たされることをあえて引き受けるときに発生する「ひ弱さ」、「傷つきやすさ」（ヴァルネラビリティ）こそ、むしろヴォランティアの魅力であるとした金子郁容が、『ボランタリー経済の誕生――自発する経済とコミュニティ』（実業之日本社、一九九八年）のなかで松岡正剛・下河辺淳とともに記している言葉でいえば、この「わけのわからなさ」によってこそ、「他者からの力が流れ込んでくるのに〝ふさわしい場所を空けておく〟こと」が可能になる。そう、「わからなさ」こそ、そこから新しいつながりが生成する「空き」であり、「余白」であるというのである。アサダは、そういうおぼつかない行動についてこうも述べている――

例えば、すごく不器用な生き方をしているように見える人の周りになぜか人が集まってきて、そこにコミュニティが生まれている状況を目撃することはないだろうか。あるいはみなさんの周りに、言語化することが決して上手じゃないがゆえに、かえって好感を持たれている存在はいないだろうか。何もかも器用にできるとか、いつもすらすら喋られるとか、明らかにポジティブな感じの〝現れ〟ではないような人たち。社会に対して斜に構えていたりとか、素直に感情を表に出せなかったりとか、優柔不断だったりとか、明らかにリーダーシップに欠けていそうであるとか。そういう一見ネガティブな要素が、反転してその人の不思議な魅力になっていたりすること。（同前）

鈴木一郎太はそのおぼつかなさを、いってみれば周到に、「空き」として活かしてきた。自身が、当事者家族、アーティスト、支援ヴォランティア、ゲスト、事務職員らのあいだの繋ぎ役として、そこにこれまでなかったような関係を、そう〈社会〉を、生成させていった。みずからを〈触媒〉として、である。

興味深いのは、鈴木にそれを可能にしたのは、子どものときからずっと抱いてきた「蚊帳《かや》の外感」らしいということだ。小学校の頃から比較的目立った存在だったにもかかわらず、つきあうのは「目立たないオタクっぽい子たち」。そしてどのクラスにもそういう友だちがいてクラスのあいだを自由に行き来していたが、その「越境感」はじつは「自分はなんだかこの中に馴染んでいない」という「蚊帳の外感」と裏腹だったというのだ。美術を学ぶために十年住んだ英国でも、あえて「友だちをつくらない修行」をしたという。それをアサダは、「「わかりあいたい」と思って他者に対して協調的になっていくこと」とは反対の、「わかりあえなさからくる孤独に対する忍耐力」を養うことだったろうと推し量っている。そう推し量る理由になっているのは、コミュニケーションについての次のような洞察である――

確かに、「君は○○が好きなんだね」「そうそう」というコミュニケーションは、タグ化しやすいし、まるで検索エンジンのようにお互いが共有する関心の要素をすぐに発見できるだろう。しかし、その人が仮に何を好きであったとしても、その〝好きのなり方の感覚〟、言い換えればモノそのものではなく、関心の〝構造〟がどうなっているのかを発見することができれば、コミュニケーションのあり方も変わっていくだろう。（同前）

鈴木は「寛容性」という言葉をとても大切にしている。そして、じぶんがやっていることを「人が人を許容する心持ちを、社会のいろいろな場面に織り込む仕事」と位置づけている。「人が人を許容する」とは、他者を他者として迎え入れることである。他者を他者として迎え入れるというのは、迎え入れる者をその同一性からいやでも逸脱させずにはおかない。いいかえるとそれは、社会的な構造秩序のなかでカテゴライズされたじぶんというものを揺さぶり、つき崩すきっかけとなる経験である。志賀理江子の活動にわたしが見た「〝連帯〟の綴じ目」となる行為は、こういう同一性の壊れというリスクをともなうものである。しかしそれは同時に、他者に身をあずけることで、つねにおなじ「わたし」であるという「自己隔離」——瀬尾夏美と小森はるかの被災地での活動のきっかけも、「じぶんの思い出をほじくり返すような作品」をつくったり、「じぶんのスタイルを切り売りする」だけの藝大生としての活動に大きな違和を感じたことにあった――から放たれる可能性でもある。「自己隔離」としての自由には、他者とともに何かができる自由、「他のように」という「非決定性」の契機と、他者との偶発的な相互触発とを含んだ自由とが抜け落ちているという、「6〈社会的なもの〉」で引いた齋藤純一の指摘が、ここで思い起こされる。

　このことのむずかしさのポイントを的確に指摘している言葉として、アサダは外山滋比古の次のような文章を引く――

> 自由活発な統合、編集をしようと思ったら、いいかえると、創造的な理解、解釈を行なおうと思うならば、利害と関心の力学から離脱することである。人間として、当事者でありながらそこにはたらいている利害関係の磁場の影響を受けないようにするのは並みたいていのことではない。しかし、エディターシップを存分に発揮するには、どうしても非当事者的立場に立つ必要がある。第三者の岡目八目の立場からは、当事者の目には見えないものも見える。インタレストの圏外にある精神には当事者にはできない自由な全体化が可能である。
>
> （『新エディターシップ』みすず書房、二〇〇九年、傍点は引用者＝アサダによる）

「一個人から発露される表現が、社会を動かすことがある」と鈴木自身がいえるようになるまでには、「蚊帳の外感」やあえて「友人をつくらない修行」を欠くことはできなかったのだろう。じぶんが「空き」の場になることで〈社会〉を拓《ひら》くには、逆説的にも、「〝自分の人生を誰のせいにもしない〟生き方・働き方」をまずは身につける必要があったのだろう。こういう鈴木の矜持に対し、アサダはこんな素敵な言葉を添えている。

――「〝つながり〟は必ず両手をつなぎ合っているわけではなく、片手はブラブラと泳がせておくことだって時に必要なのだ」。

勁さと弛さ

外山滋比古は「インタレストの干渉の圏外にある精神」について語った。インタレストとは「利害関心」のことである。そしてその「干渉の圏外にある」とは、先にわたしたちの言った「はぐれ」にほかならない。知らぬ間にだれによってともわからず設定された社会の構造秩序、その軸線や書き割り（分割線）に沿って生きることができないし、生きようともしない人びと。それが「はぐれ者」である。

この社会のなかに何者かとして位置づけようのない人、社会の軸線に沿って何として（なんらかの肩書きで）同定《アイデンティファイ》できない人。彼らは「一般人」からはぐれており、共同体から外れている。その外れを、アートといういとなみを媒介として、あるいはアーティストとしてのじぶんの存在を触媒として、おなじこの社会への外しの感覚として裏返す、そういうふるまいをアサダは鈴木たちに読み込もうとしていると言ってもいい。おなじこの社会に「一般人」とは異なる斜めの角度から入ってゆこうとする。というか、中途半端に社会の軸線に沿っている、あるいは軸線にうまく合わせられずにもがいている、そういうみずからの存在を、他者との斜角の関係性——アサダの言葉を借りれば、「ちょっとヘンテコに、でもなんだか面白く、素敵に生きやすい状況」——へと編みなおそうとしている。

ここでわたしは、いよいよ本書の冒頭での議論に還る。そこでわたしは、なんらかの「登録」なしに出入りできる場所というのが、この社会にはほとんど開かれていないということから議論を始めた。住所や連絡先、就労先やなんらかの集団への帰属を明示できない存在、つまり社会に「登録」されていない存在は、否応なく、社会の外れに置かれる。が、あえてこういう欄外というポジション——本書ではそれを安部公房が描きだした「箱男」の形象に託しつつ語りだしたのであった——を選びとろうという人たち、社会のいずれの鞏固《きょうこ》な組織にも所属せず、アートの諸ジャンルですら存在しないかのごとくに、脱領域的に、つねにフリーランスで活動をなしていたいというアーティストたちに着目したのだった。

彼らは、既存のポジションにぴたりとはまっている人たちからは、何を生業《なりわい》にしているのか不明な人、つまりは「得体の知れない人」と映る。あのユーゼフのように、である。アサダが取材したあの「コミュニティ難民」たちのように、である。けれども、既存の芸術の諸制度、あるいは画壇、楽壇、伝統工芸や伝統芸能といった文脈から外れたアーティストたちも、この社会では、アートとノンアート、あるいはアート未満との境界がどこにあるかはつねに議論があるにしても、〝アーティスト〟としての棲息が、あるところまでは認められている。その意味で、アーティストとみなされる人たちは、逆説的にも、都市に棲息するほとんど唯一の「無認可の職業人」といえそうである。そしてその「無認可」ということが現在のアートにおいてもつ意味を、あるいはその創造的な可能性を、どこに見いだすかを、本書では企てたのだった。そういう観点からいまあらためてアサダの議論を読むときにもっとも重要とおもわれるのは、彼のもちだす「強い現れ／弱い現れ」という概念である。

得体の知れない人、何をしている人かよくわからない人たち。それはさしあたっては肩書きのない人である。その肩書きを構成する要素とは、アサダによれば、「見えやすい専門性（技術、知識、分野）をそのまま人称化したもの（例えばシステムエンジニア、経営コンサルタント、社会福祉士など）や、所属する組織の役割、あるいは公的な資格所有の証し」である。こういう肩書きはだれか特定の人のものではなく、他の人たちに置き換え可能なものだから、こういう肩書きで自己を規定し、表明しているかぎりで、その人たちはじつは交換可能な存在である。だれもが資格や認可を得れば、そういう肩書きの人になりうる。

定年とともにこの肩書きが外れたときに、わたしに連絡をとったり、わたしの許を訪ねてくる者が激減することにあからさまに現われでるように、ここに「だれ」としての個人の特異性は現われてこない。人びとは肩書きが流通する社会の次元では、つねにたがいがたがいを映しあう鏡のなかにいるのであり、共有された軸線ないしは分割線に沿って自己の存在をなぞる。いってみれば、そういう社会は共通の秩序のなかにじぶんを映す合わせ鏡の共同体でしかない。同一の意味の秩序に与《あずか》るというかたちで形成される社会においては、そういう意味の秩序にうまくはめ込めない存在は、その他なる存在を抹消されるほかない。そう、得体の知れない存在としてネガティヴに包括されるほかない。

一人ひとりの存在が特異的なものとして認められるというのは、いうまでもなく（肩書きにおいてではなく）「だれ」としてである。そういう「だれ」たちの社会は、別次元の、何かある一つのものへとまとめえない多様性を内蔵しているものである。なにかある理念のような共通のものにともに与ることによって可能となる共同性は、合わせ鏡のなかで映しあう〈分身〉たちの共同体——E・レヴィナスのいう「横並びの集団性」

——である。すでに何度も見たように、そういう共同性のなかでは、ある人のまとまらなさは他の人たちを苛つかせる。「まとまりのなさ」はそこでは許容しがたいこととして、ネガティヴにしか受けとめられない。これに対して、それぞれに特異な個人は、もう一人の「わたし」たちとして映しあう前に、他者として、たがいを媒介する共通のものが存在しないような位相で出現してくるものである。そこでは人は、他者に、「わたしたち」の一員として選ぶに先立ってまずは遭う。

アサダが浮かび上がらせようとしたのも、いわばそういう「まとまらなさ」の肯定、つまりは、「何」としてではなく「だれ」としての人の「現われ」をたがいに編みあうような、そういう人びとの「協働」のかたちであったとおもわれる。

そのうえで、人びとの、とりわけアーティストたちの、こうした「だれ」としての現われには、強いものと弱いものの二つがあると、アサダはいう。

「強い現れ」とは、建築家が建物を建て、作曲家が歌を作り歌手がそれを歌うときのように、表現者の作り上げる制作物や作品が、「その専門性を凝縮した表象として見られ、それが周囲に「ああ、確かにこれはこの人の仕事だ」と認識され」るような場合の人の現われである。これに対して、「弱い現れ」とは、たとえば演奏家でもあるアサダが、「演奏もせずに子どもたちが地域の大人たちと音楽を通じて新たな関係性を生み出す、その〃場の演出〃をしている」ときの、アサダの現われである。

アサダ自身に即していえば、クライアントの依頼を受けてクリエイターと協議しつつ本や映像や音楽をつくったり、ウェブサイトを立ち上げたり、イヴェントを開催したりしてきたが、その成果を明確な形のあるものとして出す場合には「強い現れ」にもなろうが、それがいわゆるプロジェクトのようにちょっと見にはわかりにくいケースだと、「日常で起きている〝出来事そのもの〟」に近接してゆく。そのとき人は「弱い現れ」としてある。

むずかしいのはそこである。わたしがここ十数年、仲間とともに開いてきた「哲学カフェ」というセッションでも、あらかじめなにかゴールを設定しているわけでもなければ、こういう方法でやりますという確定したルールがあるわけでもないので、数時間議論をしても結論めいたものがかならず出るというものではない。だから参加者から、いったい何のためにこの時間はあったのですか、といった不満が終了後に出るのはしょっちゅうである。哲学カフェは答えを出すのではなく、むしろ問題を書き換えるプロセスを共有するためにこそあり、他者たちがそれぞれに特異なもの、つまりは他者として遭う場を開くためのセッション——意見の対立を解消するためになされる対話ではなく、そうした対立が対立として成り立つ場そのものを維持しつづけるという、デモクラシーの根幹にかかわるレッスンである——であるかぎり、あらかじめ見込まれた一定方向へのファシリテーターによる誘導は、やんわりと、だがきっぱりと禁じられる。それとおなじように、アサダが取り上げている「何屋さん」かわからない人たちによるプロジェクトやワークショップも、そういう誘導をしないので、いいかえると、わかりやすい専門性をそこではあえて行使しないので、何がそこに立ち上がろうとしているのか、周りからはなかなかに見えにくい。ということは、まとまりがなくしまりもない。なんとも摑みどころがないのである。

こういう拡散的で流動的な場では、当初は、その場を拓こうという人自身が、「多少の戸惑いや精神の不安定さ」に見舞われもする。あえてみずからその専門性を棚上げし、封印したからである。こうした寄る辺なさ、もどかしさが、徐々に「独特な浮遊感の心地よさ」へと変貌するまでに、鈴木がいかほどに悶《もだ》え苦しんだかは想像に難くない。「弱い現れ」がこういう強さによってしか維持できないことは、注目しておいてよい。この点こそが、志賀理江子や川俣正のプロジェクトときわめて対蹠的な点だからである。とはいえ、いずれもとことん体を張った行為である以上、困難とそれにともなう傷とはそれぞれが他者としているものとの関係のなかで別様に刻み込まれていたのであって、ここでいずれが深いかを問うのは意味のないことである。

当初は、アーティストとしての同一性をそっくり棚上げにし——そこでは、おのれ自身の存在がノイズであった——、制作のプロセスにおいても関係の偶然性を優先したにもかかわらず、志賀理江子は最終的に写真作品へとまとめ上げ、川俣正はインスタレーションへと落とし込んだ。志賀は、〈社会的なもの〉が生成するその根拠の「わからなさ」のなかに手さぐりで根を下ろしていったのだった。川俣は、制度としての社会を脱臼させることで、人びとのなかに未だ潜勢的な蠢《うごめ》きとしてしかありえなかったものを、みずからを触媒として結晶させようとしたのであった。そういうかたちで、最終的には、それぞれ「志賀」と「川俣」という名を刻んだプロジェクトとして、そうした関係の生成を提示したのであった。いうところの「強い現れ」である。

これと対蹠的に、「表現」ではなく「場の演出」に取り組む鈴木一郎太のいとなみは、アサダによれば「〝ぐちゃぐちゃ〟した日常を、〝ただ〟見せているだけ」と映ってしまうような、空きを開くところにこそあった。志賀や川俣が最後は制作者としてふるまったとすれば、鈴木はその意味では最後まで伴奏者にとどまりつづけることを選んだのだった。だから、しゃきっとしない、つまり弛《ゆる》い、そんな印象を漂わせる。が、ほかならぬこの弛さこそ、ともに《わからなさ》を蝶番《ちょうつがい》に地域社会のなかに入り込んでいったにしても、「まとまりのなさ」を最後まで志向するという点で、志賀や川俣以上にラディカルであったといえるかもしれない。ここでラディカルとは、過激というよりもむしろ（語源からして）根元的という謂《いい》である。ここで弛いというのは、ほとんど（しなやかで強靱であるという意味で）勁《つよ》いということである。この勁さこそ、おそらくは「弱い現れ」を維持しつづけるのに欠くことのできないものなのである。

弛さにしろ弱さにしろ、傷つきやすさを傷つきやすさとして維持する勁さということでは、わたしにも忘れがたい経験がある。もう十年以上も前のことになるが、公募で出品作家を数名選び、その人たちの合議で半年かけて展覧会の方向づけを決めてゆくある企画展の進行を傍らで見ていた。そのなかでひとりの作家に出会った。出会ったと言ったが、作品に出会ったのであって、本人とは出会えない事情があった。展覧会では、小石や小さな小さな雑貨をブースのテーブルの上に並べて、本人がいないのだから販売とはいえないが、モノの横に氏名・住所の記載票があり、それに名前を書いて箱に五百円入れておけばモノを送ってくれるという、まるでネットではない実物の通信販売のような展示だった。人前に出られないのだという。遠隔地に行くのも公共交通機関に乗れず、父親が車で同伴してくれるのだという。けれども、作品をつうじて他者と（顔を合わさなくても）接点をもちたいという、何度も挫折しかけたぎりぎりの制作行為だった。その行為をひとりのアート・コーディネーターがずっと見守りつづけた。そしてそのような奇妙な展示にまでもっていった。

虚弱であるというのは過敏であるということである。感受性が過剰にはたらくということである。たとえば病弱な人は、ちょっとした気圧の変化、気温や湿気、匂いや陽射しの微かな変化にも敏感だ。こころに「障害」をもつ人も、「嘘を言ったりとか無理をしたりとか、人と競ったりとか、自分以外のものになろうとしたときに、病気というスイッチがちゃんとはいる人たち」（社会福祉法人・べてるの家の向谷地生良）だといえる。その意味では、社会の異変を微細な徴候から感知するアンテナのような存在だ。そういう脆いが過敏な感受性をもった人がいてくれるのも、じつはその人たちに伴走する勁い人がいてくれてこそなのである。

8 点描

「点描」でしか描けない現在

美術家の伊達伸明に「とつとつな音」と題したこんな詩がある——

目標達成欲の強い人は、とつとつが許せない。
それが発展途上に見えるから。
仕切るのが好きな人は、とつとつが許せない。
それが牛歩戦術に見えるから。
オチがないと気がすまない人は、とつとつが許せない。
それが阿吽《あうん》の呼吸に依らぬから。
若さの秘訣は?などという人は、とつとつが許せない。
それが身体の限界に見えるから。

未整理の過去と手さぐりの未来との間に
点描でしか描けない現在がある。
それを描く音、とつとつ。

舞鶴（京都府）に、「グレイスヴィルまいづる」という名の特別養護老人ホームがある。このホームには、《とつとつダンス》というワークショップがあって、施設スタッフ、看護師、ケースワーカーらが、入所している高齢の人たちや地元の小学生などとともに、身体を動かすワークショップを定期的に開き（すでに百回を超す）、その公演もおこない、さらに施設の職員を対象とした勉強会も重ねてきた。その《とつとつダンス》の中心にいたコンテンポラリー・ダンサーの砂連《じゃれ》尾《お》理《おさむ》はここ数年、認知症の人とのダンスを試みてきた。なかでも、若いころ薬害にあって両脚と右手の自由を奪われ、長らく車椅子での生活をしてきたひとりの高齢の女性とのダンスの「共」演は、《愛のレッスン》と題され、二〇一四年は大阪、東京、仙台と巡回した。舞鶴から施設と地域の人びとが応援に駆けつけるほど、その活動は厚いものになっている。その厚みに一枚かんでいるのが、豊中市（大阪府）在住の伊達伸明だ。《とつとつダンス》にウクレレ奏者として参加している。

美術家がウクレレの演奏？　漆工から出発し、現代工芸やデザインを専門としてきた伊達は、二〇〇〇年より《建築物ウクレレ化保存計画》なるアート・プロジェクトに取り組んできた。引っ越し、建て替えなどの事情で解体される建物の廃材をもらい承《う》けて、それでウクレレを制作し、それを元の持ち主に戻してゆくというプロジェクトだ。引っ越す家族の邸宅から、廃止される小学校や保育園、料理店や印刷所、改築される橋や寺院、大学の講堂など、対象はさまざま。身体の記憶がたっぷり沁み込んだ部材をそこから切りだし、それでウクレレのヘッドを、ネックを、胴体を作る。落書きの入った壁板や煤っぽい天井板、階段の手すりや踊り場の親柱、ガラス戸の桟や襖の引き手、禿げた引き戸や神棚の装飾部分、黒板に葺き屋根の銅板など思い出たっぷりの部材を組みあわせてウクレレは作られていて、なかには白地にペンキで「法経第1教室」と書かれたネックもあれば、ネックや胴の裏に会社名が刻まれたものもある。「この世にたった一本しかないウクレレ、しかも思い出が一杯つまったウクレレ」なのである。さすが工芸家というか、丹念な仕事ぶりでフレット板も美しい。それを現在まで六十数本、制作してきた。

部材を直接もらい承け、それをウクレレにして持ち主に戻すのだから、市場を流通することがない。だからそれは「美術商品」なのではない。ここで制作者と鑑賞者、というより手に取って鳴らす人は、生産者－消費者の関係にはない。頼まれてもいないのに作るのだから、売って儲けるわけでもない。暮らしの記憶がたっぷりと染み込んでいて、

「これ、ええなあ。きれいやなあ」というため息のなかで、廃材がウクレレという、ある意味ちゃっちいが清楚な音楽の器に生まれ変わる。

伊達は、個々の他人に共感するというよりももうちょっと向こうへ行く。その人がなじんでいた物、あるいは空間のほうへ。はたまた、個人としての私的関心をさらに深めるというよりも、もうちょっと深くへ潜る。じぶんにも流れ込んでいた歴史のほうへ。志賀理江子が、鈴木一郎太の場合がそうであったように、伊達においてもそこに〈社会〉が立ち上がったのだろうか。

それを考えるときに注目したいもう一つのプロジェクトがある。二〇一四年に開催された《豊中市立市民会館　おみおくり展》だ。豊中市で生まれ育った伊達には、一九六八年に開館し、演奏会や落語の公演、式典や発表会や展示が催されてきた豊中市立市民会館は、幼少の頃から通いつめた思い出深い建物だ。階段の手すりやホワイエの床の感触、大きな扉を押し開いたときに広がる光景、館内の案内パネルやレストランの看板、給湯器や黒板など、なんとも些細なものに、彼のいう（昭和のじぶんの）「皮下記憶」が詰まっている。その極私的な「皮下記憶」をたよりに、「役目を終えて解散した市民会館の、無数のカケラ達」の、いってみれば卒業展として企画されたのが、このプロジェクトである。

伊達とは《愛のレッスン》の最終公演で知りあったばかりで、この展覧会を見ることはなかったのだが、わたし自身も十九年間、おなじ市にある大学に勤めていてこの会館を何度か利用させていただいていたので、この展覧会のカタログに載っている「カケラ達」にはそれなりの見憶えがある。

さてその伊達が注目したのは、正面玄関上に飾られた会館の看板ともいうべき「豊中市立市民会館」の立体文字である。もはや用済みとなったこの文字板を外し、一文字ずつばらばらにし、「読める立体物」として「人生の再出発」をさせようという突飛な発想がなんとも伊達らしい。八文字全員で、近くの河川敷に散歩に出て「羽をのばす」。

廃校になった小学校へ出かけていって昔懐かしい木造校舎の教室で授業を受ける。野球場ではみなで守備につく。「豊」くんはホールで講演をする。「中」くんは伊丹空港を発着する飛行機の真下に立つ。「市」くんは校長の執務室に座る。「立」くんは公園のブランコに乗る。「市」ちゃんは堤防に寝転ぶ。「民」ちゃんはグラウンドの跡地に立つ。「会」ちゃんは市役所で人びとを出迎える。「館」ちゃんは公民館の和室に座り、市民に茶を供される、などなど。最後は照明を落とした会館ホールの舞台に全員並び、中央の「市」くんがスポットを浴び、代表として市民にお別れをする。そのあと豊中を出て大阪市内に向かい、大阪城や中之島の中央公会堂、ミナミの道頓堀や新世界などの、なんともベタな観光スポットの前に、「豊」「中」「市」の三くん／ちゃんが、ちょっとはにかみつつも胸を張って立つ（どうしてもそう見える）。まるで「豊中市でーす！　違うけど」と言っているかのよう。この伊達がとくにお気に入りなのが「豊」。「豊」の上半分の形「曲」が好きで、それを独立させて（大きさが微妙に異なる）六つの孔に引き出しを付けてみる。さらにそれを天地ひっくり返したときは、犬のように一人歩きしそうな顔つきにぞくっとしたという。「新しく作った文字となるとなんか豊中市をアピールしたくてやってるということになるような気がするんで、あくまで長年のオットメから解放されて観光しているっていうシナリオの延長であることが重要ですね」とは、展覧会をふり返っての伊達の弁である。

伊達のこの極私的ともいえるイヴェントには、「市民会議」と称してさまざまの市民の記憶が合流し、「文字の余生」や「市民会館「おすそわけ」」など関連イヴェントも催されることになる。「豊中市立市民会館」の一文字一文字が、会館を出て散歩を始めたとき、一つ一つの文字が見知らぬ土地に置かれ、それが思わぬ補助線となって、その地にもともとあったものまでが表情を変えてくる。伊達の表現が触媒となって、だれも予見することのない市民の動きがおずおずと立ち上がった。

〈社会〉とまでは未だ言わないにしても、伊達の表現が触媒となって市民の動きが立ち起こったことについて、伊達自身はたとえばこんなふうに語っている――

作家が土地に入り込んで人や風土と関わりながら作品を作るという美術イベントは、

すでにいろんな場所で行なわれています。ですが、別の場所で作ったものを持ち込んで「見に来てくれ」というタイプや、地元の人が人足として参加しただけの協同工作物作りをめざすものが今でも多い。「美術っぽい見せ方」がまずあって、そこに土地の個性をすり寄せていくやり方、ぼく嫌いなんですよ。アートに力があるとするなら、ぼくは求心力よりも界面活性力を信じたいです。アートとしてみられたことのないモノ同士を、切り込んでナンボの人間がおもしろがってくっつけていく、その第三者的な触媒効果こそが、きっと日々を楽しくするタネを生みます。

考えてみれば美術って、対象物と自分とか、過去と未来とか、現実と仮想とか、経済効率と精度とか、常に境界面との葛藤を続けてきたわけで、今は今でいろんなところでギシギシした境界面が生まれたりもする。そういういろんな境界を活性化して融合のタネを播くのが美術の仕事なんだろうと思うんですよ。ケタは小さいでしょうけど、軟効性をモットーに時間をかけて聞き取って、接点を探し続けたいところです。

（「亜炭香報」創刊号、二〇一二年八月三〇日）

この言葉、伊達が近年、仙台市で展開している《亜炭香古学——足元の仙台を掘りおこす》というプロジェクトが発行している新聞から引いた。かつて仙台市民の生活燃料であった亜炭と、おなじ地層から出る埋木《うもれぎ》細工の原木の記憶をたどるプロジェクトである。なぜ仙台なのかといえば、伊達のお父上がその仙台の出身だからという、これまた極私的な理由による。が、言い出しっぺの伊達の提案で、仙台市ではいま、坑口《こうぐち》の探訪ツアーや「亜炭歌留多」の募集、埋木みがきの作業、そしてこの「亜炭香報」という新聞の発行など、いくつかのプロジェクトが動いている。

《生存の技法》

そこでもういちど冒頭の「とつとつな音」に戻りたい。その最後のフレーズはこうだった。——「未整理の過去と手さぐりの未来との間に／点描でしか描けない現在がある。／それを描く音、とつとつ」。

それにしてもこの、「未整理の過去と手さぐりの未来との間に／点描でしか描けない現在がある」とはどういうことなのだろう。まず、「未整理の過去」と「手さぐりの未来」というのは、同一の記憶として語られる過去の拒否、同一の目標へと収斂してゆく未来の拒否を意味しているのだろう。そして「点描でしか描けない現在」というのもまた、現在を一つの視点から捉えることの拒否として表明されていると考えられる。要するに、「未整理の過去」と「手さぐりの未来」と「点描でしか描けない現在」に通底しているのは、おなじ一つのものへと結集ないしは糾合させられることの拒否ということだろう。これを裏返していえば、一つへとまとめることのできない多様性の徹底した擁護ということだ。伊達は右に述べたようなプロジェクトにおいて、集まったみんなのそれぞれの思いを、あるいはそこでほじくり出された個々の記憶を、何かとして一つにまとめようとはしない。何かに結集させたり、一つに糾合したりしようとはしない。彼が極私的でありつづけること、私的な記憶へのこだわりを放棄しないことには、そういう強い含みがあるのだとおもう。伊達が「目標達成欲の強い人」、「仕切るのが好きな人」、「オチがないと気がすまない人」を遠ざけるのも、たぶん、そういう理由による。

多様性ということは人びとのあいだのみならず、伊達個人の内部においても貫かれる。「あなたいったい〝何屋さん〟?」とは、「いつだってどこに行ってもアウェイ」であることをよしとして生きてきたアサダワタルが折あるごとに周りから向けられてきた問いだったが、伊達もまた〝何屋さん〟か、ひじょうに確定しにくい人物である。まとまらない人、カテゴライズできない人、社会のなかにうまく位置づけられない人、そう、何者でもあろうとしない人なのだろう。(「7〈はぐれ〉というスタンス」で見た)〈はぐれ〉というスタンス、それを彼もまたずっと維持してきたとおもわれる。外されてきた人ではなく、むしろたえず外れてきた人。同一のものを共有することで成り立つ共同体というものから外されるより先に、そこからみずからを外す人。人びとの交差路で外れよりも先に外しを選び取る人、である。

現在が「点描でしか描けない」という表現にふくまれているのは、だから、現在を全体として俯瞰できるような一つの視点など存在しないという判断だけでなく、人びとがこれまでそれぞれに抱え込み、また養ってきたそれぞれの思いや記憶を一つに括るような「物語」には乗らずに、各人がそれぞれに固有の場所もしくは交叉点で微かに放っているその光の一つ一つを愛おしみ、束ねずにおくということでもあろう。伊達はこうも言っている。――「問いつめすぎてみんなが疲れ果てるようなことのないように、うまいことすっぽ抜ける道を見つけていきたいわけです」（「豊中市立市民会館　おみおくり展の記録」）、と。伊達もまたずっと〈はぐれ〉というスタンスを選び取ってきたのである。

　人びとが固まりはじめたら、人びとをつなぐシステムが凝固しはじめたら、すぐに溶剤をかける。固まるものからたえずすり抜ける。糾合しようという動きにたえず抗《あらが》う。そのようにいつもシステムの外部に片足を掛けていようとする人は、システムから外されてきた人たちの輪にもたやすく入ってゆける。

　そして、わたし（たち）の存在を塞ぐもの、囲い込むもの、凝り固まらせるものへの抗いとしてこそ、アートはある。他者との関係、ひいては自己自身との関係をたえず開いておくために、そこにすきまをこじ開ける動性として、アートはある。とすれば、生を丸くまとめることへの抗いとして、アートはいつも世界への違和の感覚によって駆動されているはずである。そしてそれがまた、システムにぶら下がらなくても生きてゆける、そんな力の育成につながるはずである。そう、《生存の技法》に、である。

おもえばこれまで、教育とか人育てというのは、わたしたちが暮らしているこの社会のシステムや仕組みがこのままずっと続くという前提で組み立てられてきた。同時代の社会システムのなかで、その軸線に沿って（そしてそこから落ちこぼれないよう）自己形成してゆくという教育だ。二〇一一年の東日本大震災と東京電力福島第一原発の事故はしかし、予測不能な要因によって現在の社会システムが崩壊したり機能不全に陥ったりしても、それでも人びとがともに生き延びてゆくのに必須の能力とは何かという視点から教育と人育てにあたらずには済まないということをわたしたちに突きつけた。じっさい、震災・原発事故後、東北ではいまも十七万人以上の人たちが避難生活を余儀なくされているが、おなじことは日本列島に暮らすどの人にも起こりうるということが、あの震災と事故によってだれの眼にもあきらかになったからだ。じっさいこの列島がもし複数の「苛酷」な原発事故を抱え込んだら、人びとはこの列島を離れざるをえなくなる。そのことを踏まえての《生存の技法》を、わたしたちは構想しなくてはならなくなった。

そのときなんとしてもわたしたちが備えておかねばならないのは、「なんかおかしい」「このまま行くととんでもないことになるんじゃないか」といった同時代の社会システムへの「違和」の感覚だ。そしてその「違和」の微細な感覚を表現へともたらそうとするのがアートである。アートはその意味で、社会と文化の〝火床〟であるともいえる。社会が停滞したときに、それを再活性化するものとして、地域社会にはふだんの社会秩序をいったん停止させる、あるいは転覆させるような無礼講や祭りがある。おなじように、都市には寺社や場末、法外な時間を内蔵した樹木など、「この世」の外につながる孔《あな》があちこちにある。そこでは日常の社会秩序がいったん括弧入れされ、距離を置いて既存の秩序を見なおす時間や機会を得ることができる。距離を置いて社会を見るとは、「法外」(extraordinary＝普通をはみ出ている)な位置から社会を見なおすということであり、そこでは「奇矯」(eccentric＝中心を外れている)なふるまいがむしろ重要な参照事項となる。懐の深いまちとは、奇人・変人の棲息しやすい場所のことなのだ。現代ではアートがまさにそうした役割を引き受けてきた。その意味で、アートが社会生成の〝火床〟としてこれほどまで重要な意味を帯びだした時代はないといえるかもしれない。伊達はまさにそういう意味で、「法外」な人であり、「奇矯」な人であった。

ここでもうひとり、ふれておきたい人がいる。美術家の小山田徹。わたしが彼の活動に強い興味をおぼえたのは、(前にもいちど引いた)彼のある言葉にふれたことがきっかけとしてである。震災の年、宮城県女川町の「対話工房」でのインタヴューで彼はこう語っていた。「スキルとよばれるものは、隣の芝生に行って発揮されなきゃじつはだめなんじゃないか」。「アーティストがアートとしてアートの分野で何かをするのは基本的にあたりまえ」のことであって、違う言語に「翻訳」され、「活用」されてはじめて、それはスキルとなる。アーティストとはいってみれば「隣の芝生に行けるパスポートをもっている人」のことなのだ、と。ここでは確実にものが言える領域に閉じこもるという「専門性」への誤解がやんわりと指摘されているのだが、それと同時にここで、あの《生存の技法》としてアートに何が可能かも、しかと語りだされているようにおもわれる。

小山田は大学で日本画を学び、現在は京都市立芸術大学の彫刻専攻の教授であるが、かの空前のパフォーマンス集団「ダムタイプ」の創設者のひとりとしても知られる。その小山田はずいぶん前からずっと「ちっちゃい火を囲む」プロジェクトというのを列島のあちこちで展開してきた。ふと焚き火に眼をとめた人びとが三々五々集まり、ぐだぐだおしゃべりに興ずる、かぎりなく弛《ゆる》い集いである。そこではもちろん黙っていてもいいし、無駄話をしてもいい。どういう人間か、あらかじめたがいに探りを入れずとも、一人ひとりが無理をせずとも、居られる場がそこに生まれる。「大きい火じゃなくて小さい火をたくさん」というのが大事。火の焚かれている複数の場をそれこそはしごすることもできる。

その小山田が語っている言葉をいくつか、京都文化芸術オフィシャルサイト「Kyoto Art Box」KAB Dialogue Vol.17《インスタレーションの実験場から、場の共有に向けて》（二〇一三年八月三一日）から引いてみる——

「行政が公共というものを用意する時代はもう終わった。もともと公共って、自分の私的財産とか時間とか労働とかを供出し合って作ったものを呼んでたんだけど、今は税金を納めて公共というものが上から下りてくる感覚があります」

「色々活動していて、思考を深めてやっていくと、どんどん考え方が硬くなって、他者に寛容でなくなっていくんですよね。変えないといけないことはたくさんあるんだけど、その一つのことを原理主義的に整合性をもってやっていこうとすると、どうしても考え方が硬くなってしまう。〔……〕自分の中にも内在しているものも含めて、色んな差別的な視点を変えたかったんだけど、その「変える」ことを目的にして活動していくと、実はそのこと自体が暴力になっていく。決して「解決」という一つの答えがある訳じゃないことに気づくんです。じゃあ何が大事なのかと思ったら、そういう対話や思考をし続ける環境を持ち続けるのが大事なんじゃないかと思いました。色んな形で「対話」が可能な時間や空間、関係性、そういうものを持続的に持ち続けること、しかもそれを時代や自分の人生のタイミングに合わせて、無理なく変更しながら続けていけることが大事なんじゃないかと。そのために、今まで培ったスキルが生かせるんじゃないかと思って」

　これもまた「点描」の場を拓く、そしてそれを断固として維持するということではないだろうか。多様なものを多様なものとして肯定するその断固さを貫けるのも、やはりまた弛さによってである。そこがどうもポイントだとおもう。弛めることを維持することそれじたいは、弛みのなかでは果たされない。弛んだ集いを、それを畳むところまで勘定に入れながら運営するというのは、それじたいが醒めた精神によってこそ担われることだからだ。小山田の驚くほど閑《しず》かな佇まいも、余程のことがあっても折れたりキレたりしないしぶとさも、きっとそこからくる。だからこんな醒めた言葉も口をついて出る。——「「美術」って便利な言葉で、「美術」という名目があると、本来は出来ない所でも屋台が出せたり、お酒が飲めたりとか、不思議な効果がある時は「美術家」の顔をしています」。人びとの前に立って「美術っぽい見せ方」を先に出すことを嫌う伊達よりさらに、小山田はしぶといというか、したたかなのかもしれない。パブロ・エルゲラがその著『ソーシャリー・エンゲイジド・アート入門——アートが社会と深く関わるための10のポイント』(アート&ソサイエティ研究センターSEA研究会訳、フィルムアート社、二〇一五年)で述べている言葉を借りていえば、小山田は小さな火を焚くというミニマムの行為から出発して、「他者の参加を促すためのプラットフォームやネットワーク形成に重点が置かれ、それによってプロジェクトの効果が一過性のプレゼンテーションを超えて長期間続くことをめざしている」だけでなく、さらにはそれを畳む段取りまで視野に入れて取り組んでいるように見える。

弛さと精緻さと

「手さぐりの未来」をたぐり寄せるには、なによりこの現在を多様性へ向けてかぎりなく開いておかねばならない。「整理」ということを拒む過去から、埋もれた何か、棄てられた何かを探しだし、引き継がなければならない。一つの像へと収斂することはありえないし、またそうさせてはならない未来と過去に挟まれて、現在のこのとっちらかりとまとまらなさのなかで、それでも「点描」を続けること。伊達の詩がわたしたちに教えてくれたのはそういうことなのだろう。

「点描」は〈同〉という一つの糸につながらないからこそ「点描」である。横並びに整列させようがないからこそ「点描」である。一つ一つ色も違うから「点描」である。ここでわたしたちがどうしても思い起こさずにいられないのが、『全体性と無限』（一九六一年）のE・レヴィナスだ。その《根源的多様性》の思考だ。一人として等しい個人はいない。その諸個人を一つの始源からともに捉えることを可能にするような特権的な平面は存在しない。自他の関係を俯瞰し、それを相互的なものとして取り扱おうとする第三者の視点は、自他を置き換え可能な、交換可能なものとみなす。が、それこそレヴィナスによれば「根源的不敬」とでも呼ぶべきものなのであって、人による人の「搾取」もそういう視点からなされてきた。だから、そういう第三項の周りに生じる集団性ではなくて、つまり同一の理念や価値やエートスを共有することで成り立つ集団性ではなくて、自他を包摂する第三者の不在ということを起点として思考を紡ぎださねばならない。

他者との関係は、あいだに媒介となる共有のものが存在しないような位相でこそ出現するものだからだ。自他のこのような「絶対的な位相差」に定位した思考を、レヴィナスはわたしたちに求めていた。

アートはおなじことを、おそらくはそれよりもっと手前で、もっと身体の活動に近いところで試みてきた。〈すきま〉をこじ開けるという仕方によってである。ここでいうところの〈弛み〉もこのことと深くかかわる。《根源的多様性》を指向するものは、それを指向するプロセスにおいてすでにその本質的な部分でそれをいくばくか実現していなければならない。伊達の「点描」も、小山田の焚き火の集いのとりとめのなさも、徹底して弛んでいるが、それはけっして故なきことではないのだ。

アートは一方で、ひとの存在が強ばること、凝固することをなによりも忌避する。ゆるゆるのすきまだらけ、そういう〈弛み〉はしかし、世界への執拗な違和の感覚によって編まれている。同時代の世界への強烈な批評性を隠しもっている。それを強ばった仕方で表明しないだけのことである。その違和が強ばったらすきまも閉じざるをえないからである。ところが他方で、アートはとても精緻である。細部を忽《ゆるが》せにしない緻密さに貫かれている。こうした二極性がアートにはつきものである。箍《たが》が外れているというよりも、箍をまさに外そうとするのがアートであれば、当然のことである。ただその弛さが研ぎ澄まされている。すみずみまで妥協なく突きつめられている。

これまでくり返し見てきたものをまるでいまはじめて見るかのような感覚で見ること、それを「イノヴェーションの達人」、トム・ケリーは戯れに「ヴジャデ」と呼んでいる。いうまでもなく、「デジャ・ヴュ」というフランス語をひっくり返した語で、これまで一度も見たことがないのにいつかどこかで見たことがあるとおもう「既視感」の反対、つまりは「未視感」のことを言っている。「手さぐりの未来」を前にして必要なのも、見なれたものをはじめて見るかのように見るこの「未視感」なのであろう。ありふれた日常を、これまで体験したこともないような光景へと裏返す。そのために、世界の片隅に小さなすきまを見つけ、そこに手を突っ込んでこじ開ける。その力を川俣正なら、日常からの「跳躍力」と呼ぶのだろう。「精神障害」をもつ人たちのための施設でおこなったワークショップにふれて、彼はこんなふうに語っていた。「このワークショップでは、患者の方が描いた自画像や撮影したプライベート映像を皆で見るのですが、彼らが日常のどこで「ジャンプ」をしたかを知る点にあります。ここで言うジャンプとは〔……〕日常の一線を越える瞬間の跳躍力のことです」。そしてアートという活動が負っているのもその跳躍力にほかならないとしてこう続ける。「作家といえども、大半は普通の人です。そんな彼らがある日どこかで一線を越えた結果として、作品が生まれる。その一線を越える場所や瞬間にぜひとも立ち合ってほしいし、一線を越えた先にあるアートの面白さを感じ取ってもらいたいのです」（『AXIS』二〇〇五年八月号）、と。

じつはよく似た発言を作家の町田康もしている。「現実に接した時、それを浄土というもう一つの現実に書いてみたくなる。小説である以上は面白くなきゃいけない。面白さとは、現実と違う遠くへ飛ぶための力。遠くというのは小説的浄土です」（「京都新聞」二〇〇五年八月一七日朝刊のインタヴュー記事「創作の流儀」より）。

「現実と違う遠くへ飛ぶための力」、それは、川俣とおなじく、「美」によりも（他のところでは「ノイズ」とも呼んでいる）「面白さ」にあるというのだ。「なにかオモシロそう」という感覚でパフォーマンスやイヴェントに足を運ぶ人たち、彼らにとっておそらくそこは、「職場」では起こりえない《世界の開口》（メルロ＝ポンティ）という出来事、いってみれば世界の関節外しに、そしてひょっとしたらじぶんの組み立てなおしに、遭遇できるかもしれない場所なのである。じぶんの囲いの外に出ること、つまり自己の変成は、自己破壊をともなうから、それは当然「小さな死」をも意味する。そしてその「小さな死」を、西洋ではむかしから《エクスタシー》と呼んでいた。川俣や町田のいう「面白さ」という跳躍力、そこにもこの「小さな死」が畳み込まれているはずだ。

身体感覚の底のほうで蠢《うごめ》く「むずむず」というのが、この「小さな死」を畳み込んだ感覚としてあるのかもしれない。秩序の象徴的逆転ともいうべき祭がその一つだとおもうのだが、そういうエクスタティックな感覚にアートも通じている。それはちょうど、桜が咲くとぞろぞろ人が外に出てくるような感覚に近いのだろう。白川昌生はその著

『美術・マイノリティ・実践──もうひとつの公共圏を求めて』（水声社、二〇〇五年）のなかでこの点にふれて、次のように書いている──「限りない緊張関係が、個と家族また集団との間に存在する。だからこそ、歌、踊り、工作作業、工芸活動等々が、実用的要求を満たすだけでなく、この心理的緊張をほぐす働きもするし、そこで夢見ることを全員に許しもするのだ。〔……〕こうした作業、踊り、歌などは夢見つつ、緊張をほぐし、ゆるやかにそして再び〈social〉な場へ人を呼び戻す働きをする」、と。

何かとしてまとめられることを拒む《根源的多様性》をこそ前提として蠢きだす〈社会的なもの〉は、アートにおいては、おそらくはこうした身体感覚に空けられたすきまと結びついている。〈社会的なもの〉とはここで、社会に形を与え（in-form）、形が強ばりはじめたらただちにそれを歪め（de-form）、別の形へと変換（trans-form）してゆく、社会の動性ないしは胎動を意味する。アートは社会の（システムではなく）そうしたずらし、めくり返しといったふるまいをずっと試みてきた。もちろん、高度に複雑化した現代の都市空間においては、「構造」が一挙に「コムニタス」へと移行するわけではなく、それらは単発的に、局所的に起こるだけであろう。しかし、アーティストはそれでも社会から離脱しようとはせずに、むしろそのすきまに手を差し込んでめくり返そうとする。

凝固しだしたらすぐに溶剤をかけるこの動性は、たんなる装飾とみなされるものにおいてもはたらく。妖しい「むずむず」を誘いだすからだ。が、これが野放図な蠢きを超えるのは、その「むずむず」がある方向感覚を備えたときである。あるいはそれを批評性と言いかえてもいい。世界への違和を批評性へと研いでゆくこと。その意味でアートは〈社会的なもの〉が駆動しはじめる機縁となるフックを、具体的な形として創るものである。それは extraordinary なある制作物、あるいはある装置を人びとのあいだに出現させることで、少なくともどこか〈社会的なもの〉が駆動するそのきっかけを生みだすとともに、そのコンテクストを編み、育てようとするところがある。このような「素手」の手法こそ、システムや制度にぶら下がらなくてもやってゆける、そのような市民力の育成のなかで生きてくるものであろう。アートはあらかじめ意味やコンテクストの描き込まれていない〝がらんどう〟から出発するものだからこそ、ゼロからコンテクストを編んでゆくという、手づくり感（?）のある運動を誘引するのだろう。どこにも居場所のない nowhere man が、いまここから見えない他者とのネットワークを紡いでゆく now-here man に変容してゆくプロセス。アートがもし、消費社会の表面を上滑りするのではなく、どこか〈社会的なもの〉の生成につながるとしたら、そういう変容を各人にもたらすことによってであろう。

「命に近い仕事ほどお金が動かない」

周防《すおう》大島で、ある農家の人がこんな言葉をつぶやいていたと、独立研究者の森田真生が紹介している（二〇一五年三月一〇日付けツイッターより）。「命に近い仕事」とは、いうまでもなく子育てであり、食材の調達であり調理であり、排泄物の処理であり、日々の語らいであり、看病や介護であり、防災であり、また地域の行事といったものであろう。「命に近い」これらの仕事もまた、行政や企業に、税金やサーヴィス料を支払って委託するというかたちをとっているのが、わたしたちの社会である。そういう「命に近い仕事」を代行するシステムが停止あるいは機能不全に陥ったときに、ほとんど為す術がないのが現代社会の市民である。《生存の技法》がわたしたちの手からほぼすっぽ抜けになっている。国家と市場がわたしたち一人ひとりの「命に近い仕事」をも植民地化してくるただなかで、〈社会的なもの〉の動性をいかに回復してゆくか。そのとき、この失われた「命に近い」手仕事のなかにアートをどう組み込んでゆくのか。不快なもの、あるいは異物をたえず押し隠してゆく「安楽」という名の感覚麻痺が社会を覆うなか、アートはそこにどんな孔を穿《うが》つのか。芸術から生活技術まで、スキルから作法まで、《生存の技法》という文脈のなかで、アートといま呼ばれているものをもういちどかき混ぜるなかで、「検証」という名のアートの自己言及をなすよりも先に、《アルス》（わざ）の始源のかたちにまで立ち戻ることが、そのままアートの孕む〈未知の社会性〉が仄めく瞬間を見ることにつながるはずだ。道はなお昏いが、この稿を紡ぐなかで出会ったアーティストたちの試みに、わたしはいくつかの確かな兆《きざ》しを認めた。おそらくは服の下に数々の傷を隠しながらいまなお継続されているそれらの試みを、これからも追いつづけたいとおもう。

おわりに

アートと社会の錯綜した関係についてこれまで長々と論じてきて、わたしがふれたアーティストたちの多くというか大半が、じつは震災前から、あるいは震災後、東北で活動していることに気づき、驚いた。小森はるか＋瀬尾夏美、志賀理江子、畠山直哉、小山田徹、松井利夫、伊達伸明、砂連尾理らである。彼らの活動の拠点は、岩手県・陸前高田であったり、宮城県・名取であったり、京都、大阪であったりするのだが、なぜかせんだいメディアテークをハブとして交叉し、つながっているのだった。なにより議論の起点となった小森はるか＋瀬尾夏美、志賀理江子がせんだいメディアテークのスタッフたちと深いつながりをもっていたのだから、そしてそのメディアテークの館長職にわたしが二〇一三年から就かせていただいているのだから、あるいは当然のことだったのかもしれない。もっともわたしが小森はるか＋瀬尾夏美の活動と志賀理江子の写真家としての仕事に関心をもったのは、館長として勤めはじめるより以前のことではある。

わたしはしかし、ここで〝東北大震災とアート〟という問題設定をしたのではなかった。それがこういう結果となったのは、東日本大震災と福島第一原子力発電所の事故とが、現代（日本）社会のあり方と、アートの現況とに、ともに根源的な問いを突きつけていて、その二つの問いが交叉する場所にわたしなりに立とうとしたことが、すくなくともその理由となっていることはたしかだろうとおもう。

そのせんだいメディアテークでは、震災の直後からずっと《3がつ11にちをわすれないためにセンター》という、市民と専門家とアーティストとスタッフとの協働のプラットフォームを開設して、官製の、あるいは報道機関による記録ではなく、復旧・復興のプロセスをいわば地べたから記録し、整理・保存し、資料化し、さまざまに利活用し発信してゆく活動を続けている。それを通じてめざしたのも、映像・写真・音声・テクストなどのアーカイヴを、本論で論じたような「術」として、「道具」として育ててゆくというもくろみをもってのことだった。その後、このアーカイヴを「表現」としてとらえ返しつつ、一昨年は、台所や寝室といった「生活の場」で鑑賞し、体感する企画展《記録と想起◎イメージの家を歩く》を、昨年末から今年の初めにかけては、震災前から取り組まれてきた東北の民話の生きた記録と、美術家・漫画家による（語りとは異なった）現代の民話の可能性を問う企画展《物語りのかたち◎現在に映し出す、あったること》を開催した。

せんだいメディアテークではこれらと並行して、市民のグループもそれぞれに数多くの事業を展開しており、それがどのような手法でなされているかを知ってもらうため、最後にここにそのなかのとりわけ印象的であった一つについてわたしが綴った文章を再掲させていただくことをお許し願いたい。いまも沸々と湧き出《いで》つつある「アート未満」の活動と、〈術〉ないしは〈道具〉としてのアートの方法論という、対極にあるともおもわれる二つの活動が重なりあう場面が、いかにナイーヴと言われようともそこに垣間見られるからである。

はじまりのごはん

《3月12日　はじまりのごはん●いつ、どこで、なにたべた?》。こんなタイトルの展覧会がこの秋、せんだいメディアテークのラウンジでひっそりと開かれていた。NPO法人20世紀アーカイブ仙台と3がつ11にちをわすれないためにセンター(略称、わすれン!)の共同企画である。二十年前の神戸の震災のときには「写メール」などなかったから、このような写真展を蝶番《ちようつがい》に、それぞれの思い出を交差させることなどありえなかった。

人の胸くらいの高さのパネルに、震災後はじめて口にした食事の写真が貼りつけられている。付箋が用意してあって、その写真を見た人が、思い出したこと、感じたことを思い思いに書き込んでいる。たとえば——

「3・11は自宅に帰れたものの、何かを食べようという気がまったく起きず、そろそろ何かおなかに入れなければと思ったのが3・12の夕方。電気の止まった冷蔵庫の中で少し溶けた冷凍うどんを、ぬるくなったミネラルウォーターでゆっくり解凍し、醤油をかけて食べました」

「3・11当日～翌日までは緊張で食欲がわかず、ほとんど食べられませんでしたが、妻と子どもを無事実家の山形へ預けることができたら、とたんに腹が減って一日4～5食食べました」

「停電で電気が使えないので冷凍庫を大放出し、毎日、焼き肉食べてた（笑）。普段よりも食生活は充実していたかも。嫁が大事にしまっていた冷凍のウナギが満を持して放出された震災のごはんでした」

「自分たちの食べものよりも犬の食べものを手に入れるのに苦労しました」

「激しく同意！」と相づちを打つコメントから、写真からの連想でじぶんが震災後いちばん食べたかったものをリレーのように書き連ねたものまで、言葉が賑《にぎ》わっていた。

　地震直後、すさまじい恐怖と不安のなかにあったはずなのに、ろうそくの明かりの下、ようやくありついたつましい食事を前にした顔にぽーっと赤みが差し、笑みがこぼれる。コンビニのガラス窓に貼られた手書きの呼びかけを撮ったものもある。こうしてまだ生きている、からだにじわじわ熱が回りはじめた……そんな思いが暮らしの崩壊のなかにあって細い一筋の光として射《さ》しているような。それが、写っていない惨事を逆に強く想像させる。

はじめてありついた温かい食には威力があった。ただ、おそらく独りではそうはいかなかっただろうとおもう。だれかとともにいただく「はじめてのごはん」。乏しい食材でも分けあって食べる。作る人と食べる人が刻々と入れ替わる。物よりむしろ仲間の赤く染まった頬をいただいているという感じ。食べるということの原点を見る思いがした。食はじつは人と人との関係である。それがうまく編まれていないときには、人は食への欲求さえ失う。人間関係がうまくいっているか否か、その幸不幸はまず口に出るものだ。が、長く続いたグルメとダイエットの時代、食は記号と情報の世界に呑み込まれ、もはや人間的な意味の凝集する場所ではなくなっていた。飢えはむしろ、食と切り離された場所でより痛切なものになっていた。

震災は、生きるということの原点をわたしたちに思い起こさせた。「『はじまりのごはん』という言葉が頭の中でぐるっとまわって『おわりのごはん』のことについて考えてしまいます」というスタッフの言葉に、はっとした。

（「中日新聞」二〇一四年一二月三日朝刊、「東京新聞」二〇一四年一二月五日朝刊）

この手法は、のちにさる方のご要望で新潟市でも再演された。

次に、本書の主人公のその後について。小森はるか＋瀬尾夏美は、陸前高田に活動の拠点を残しながらも昨年秋、仙台市に引っ越し、「プランニング・レコーディング・プロダクトという三つの専門性を柱とし、それらの相互作用あるいは総体としての「ドキュメンテーション」を実践」する一般社団法人NOOK（のおく）を、長崎由幹、酒井耕、細谷修平らとともに立ち上げた。志賀理江子は仙台市近郊で子育てをしながら、新しい制作活動を構想しつつある。

最後に、本書を編むにあたって、朝日新聞出版の矢坂美紀子さんにはアーティストたちの取材にそのつど同行し、記録をていねいに管理していただいた。季刊誌「小説トリッパー」の二〇一三年春季号から二〇一五年夏季号まで十回にわたって連載した元原稿を書き改め、構成しなおすにあたっても数々のご助言をいただいた。そのきめ細かで厚いサポートがなければ本書の上梓もありえなかった。

二〇一六年一月　京都・上賀茂にて

鷲田清一

解説

アクチュアルな思考が開く世界

港　千尋

本書を文庫版ではじめて手に取る読者は、タイトルに特別な響きを感じているかも知れない。わたしもそうである。この解説を書くために読み直してみて、四年前の刊行時とは別の意味で、今日の世界と響き合う言葉のアクチュアリティを感じた。素手の、という言葉もそのひとつである。言葉がみな息をしている、という感じがする。

この本には多くのアーティストが登場するが、読者には彼らの作品を見たことがある人もいれば、そうでない人もいるだろう。だがたとえ作家の名前から作品のイメージが頭に浮かばなくても、一種の臨場感をもつのではないだろうか。ここには、美術館の壁で対面するのとはまったく異なる、アートへのアプローチがある。

アーティストの多くは、何らかのかたちで東日本大震災とかかわりをもつ。それは言うまでもなく、著者がせんだいメディアテークの館長として、大震災後の被災地におけるアーティストの活動を知り、またメディアテークを舞台にした震災の記憶や、その継承にかかわる多くのプロジェクトを、たくさんのスタッフとともに支えてきたからである。完成された作品の批評ではなく、まだ作品と呼ばれる以前の、物質とそれを取り巻く人間のあり様を、細やかに描いているからこそ、つくり手の感触が伝わってくるのだ。

当然それは巨匠《ヴィルトゥオーソ》の手わざを通して触れるアートとはずいぶん異なる風景になる。アーティストたちが迷ったり、もがいたり、回り道をしたりしながらも、なんとか制作を続けることで、その過程に現れる、何か。誰もが素手ではたらく現場の、けっして直線的ではない動きを、言葉にするのは並大抵のことではない。試行錯誤のなかから新しい表現を摑みだそうとするコンテンポラリーアートは、特にそうである。

著者はアーティストの言葉に耳をすませ、けっして先を急がずに、動きを見つめる。作品に理論や解釈を当てはめるのではなく、制作途上のふるまいから、言葉をつむごうとする。理解することよりも、感じることのほうを大切にしながら、作る方も聴く方も、ここでは素の状態で向き合っている。素手のふるまいとは著者の姿勢でもあるが、それはすべてのアーティストが他のアーティストから多くを学ぶときの、姿勢でもあると言っていい。

このプロセスのなかで、社会的なるものが出現する。それは実に多様なかたちをとって現れるのだが、そのなかにはわたしも立ち会ったことのある場所があり、たとえば7の「触媒になる?」で出てくる、NPO法人クリエイティブサポートレッツの活動もそうである。重度の知的障害のある「たけし」を基準にして展開する活動は、福祉事業なのかアートなのかという、常識的な見方をひっくり返すほどユニークなのだが、わたしにとっては、そこに出現している事態は、まさに「未知の社会性」と呼ぶしかないものだった。

簡単に言葉にするのは難しいが、さまざまな境界を超えて人が集まってくるような、一種の輝きが、レッツにはある。そこでわたしが感じたのも、常識や制度に寄りかかってきた日常に、いくつもの孔《あな》をつくっていくような、変形と変換の知恵である。その場にいると、理屈ではなく、身体がそわそわしてくる。身体が多孔性になって、空気が通いはじめたかのような、不思議な気分になる。英語のケアという言葉が、キュレーションと語源をともにしていることを頭で知っていても、それがどのような身体性を生じさせるのかまではわからない。社会に形を与え、変形し変換してゆく動性こそが、まさに著者の言う「社会的なるもの」であり、それは徹頭徹尾、わたしたちの身体にかかわっていると思う。

身体性は具体性と言い換えてもよいだろう。その意味で読者には、それぞれの作家の作品を、何かで参照していただくことを勧めたい。幸い、いまはウェブの画像検索によって、多くの作品のイメージを見ることができる。たとえ美術館やギャラリーで作品を見ることができなくても、具体的な作品イメージを知ることで、話の内容がさらに身近に感じられるのではないかと思う。

そしてこのことは、いまわたしたちの社会が直面している、ある事態とも無関係ではない。パンデミックである。この文章を書いている現在、世界は新型コロナウイルスの世界流行の渦中にある。単行本を読み直したのは、日本が緊急事態宣言のさなかであった。美術展にはじまり、あらゆるイベントは中止か延期となり、美術館、博物館、図書館をはじめほぼすべての文化施設も休業を余儀なくされている。不要不急の外出は自粛し、可能な限り出勤も慎まなければならない。

アートの現場では代替策として、リモート鑑賞が導入されている。作品を直接経験できない以上、他に方法がないからである。画面を介してしか触れられないバーチャル空間というのは、志賀理江子や川俣正の制作現場、あるいは小森はるかと瀬尾夏美の立つ現場など、本書で扱われているすべての事例から、もっとも遠いものだろう。だがそんな未曾有の事態が、あらゆる分野へと拡大しているのである。

冒頭に書いた「特別な響き」とは、わたしたちの日常がいままでとは異なる、未知の様態へ移行しつつあることを意味している。まずわたしたちは、根本的な行動の変容を迫られている。集まることの制限である。たとえば本書には、震災直後に人々が街頭に現れてお互いを気遣う風景に対して、「まちが突然、開いた」というフレーズが紹介され忘れがたい。いま世界が陥っているのは、こうした自然な人間の行動そのものが、感染爆発を引き起こすという深刻な事態である。このフレーズを借りれば、一時的にせよ、世界中で町を閉じなければならない。

著者がドイツで出会ったカーニバルの情景が後半に出てくる。偶然にもわたしは、本書を携えて旅した際に、ライン川流域の町でカーニバルに出会った。動物の仮面や魔女、ナマハゲにそっくりな鬼の仮面が、にわか雨のなか延々と練り歩く。異形の仮面たちは歩きながら、大量の飴玉や花を、群衆に向かって投げつける。太鼓や笛が鳴り響き、水たまりをものともせず人々が群れ集う異様な光景には、たしかに〈コムニタス〉の熱狂があった。

だがその日、ドイツではすでにコロナウイルスの蔓延が始まっていたのである。感染は口と手を介して、驚くべき速度で社会全体に拡大する。マスクと手袋が常態になる。人類全体において、素顔を晒すことと、素手で触れることが、これほど忌避されたことはかつてないだろう。言葉を交わし人と触れ合うことが社会性の基本とするならば、口と手を封じることが求められる状況とは、社会性をその基本において否定しかねない危険を孕んでいるとさえ言える。新しい生活様式、あるいは「ニューノーマル」と言い方はさまざまだが、いま人類が入り込みつつある世界では、「素手のふるまい」は無償で与えられるものではなくなるかもしれない。

ウイルスの流行はどれほど時間がかかろうとも、いずれ終息するにちがいないが、わたしたちの社会は、流行以前に戻ることはないだろう。「新しい生活様式」を模索しながら、次のパンデミックに備え、リスクと共存する社会を実現しなければならない。そのために考えなければならないことは山ほどあり、無論ここで書ききれるものではないが、ひとことで言えば、それは人類がまだ知ることのない、社会性の発見でなければならないと思う。大災害の後に、人々がアートを通して、ありうべき社会性を発見する様子を綴った本書は、新たな災害が進行するわたしたちの現在に、そのアクチュアルな思考で寄り添うだろう。危機の時代に生きるための貴重な示唆に富む、真に特別な一冊であると確信しているのである。

（みなと　ちひろ／写真家・多摩美術大学教授）

素手《すで》のふるまい　芸術で社会をひらく　朝日文庫

2020年9月30日　第1刷発行

著　者　鷲田清一《わしだきよかず》

発行者　三宮博信
発行所　朝日新聞出版
〒104-8011　東京都中央区築地5-3-2
電話　03-5541-8832（編集）
03-5540-7793（販売）

印刷製本　大日本印刷株式会社

ISBN978-4-02-262026-2